最新版

必ず知って
おきたい

「中古住宅
＋
リノベーション」
を賢くお得に買う方法

美馬功之介

同文舘出版

「中古住宅＋リノベーション」で自分好みのマイホームをつくろう！

Before

築30年の中古物件を割安な価格で購入。
構造のしっかりした物件を選べば、安心のマイホームになります。

帰ってきた時に、
心が明るくなるような
家になりました！

After

白い外壁、緑色の屋根に葺き替え、外側の耐久性をアップ。
玄関扉や塀も好みのスタイルにチェンジ。

Before

壁のタイルは耐久性はあるけれど、目地の掃除が大変そう……。

After

対面キッチンに変えることで、家族との会話が増えました。
カウンターテーブルを取り付けて、大人のための演出も忘れない。

ラッキーカラーの黄色を大胆に壁と天井に使い、住まいの中心にいつでもエネルギーチャージできる場所をつくりました。

愛猫が家の中を自由に行き来できる「キャットドア」を数箇所取り付け、ペットも満足！

Before

経年劣化で薄暗い印象
だった和室が……。

After

畳は張り替え、壁をシックなエンジ色に。木製の柱と鴨居は活かして、モダンな和室に変身させました。

自分好みに
アレンジして
遊べる場所は
たくさんあります

廊下の照明は、カフェのようなおしゃれライトに。

階段にメッセージシールを貼って、軽快な印象に。

寝室を思いっきりドリーミーな雰囲気に。

好みのスタイルを実現させるマイホーム購入には、
「中古住宅＋リノベーション」が最適！
理想の我が家を手に入れるために、
必ず知っておきたいノウハウを本書でお伝えします。

はじめに（最新版の刊行にあたって）

「初めて住宅を買う方を、絶対に失敗させたくない！」

この強い想いで本書を誕生させたのが2018年でした。

おかげさまでたくさんの方に読んでいただき、人生に影響する大きな買い物である不動産購入の場面でお役に立てたのではないかと喜び、感謝しております。

書籍の発行以降、様々な世の中の変化や法律の改正がありました。

考えられないほどの大きな台風による被害や、「新型コロナウイルス」という世の中を一変してしまう出来事で、住宅に対する人々の思考は変わってきたように思います。また、ウッドショックや世界の紛争も加わり、住宅設備機器の供給不足、資材の高騰などにより、リノベーションの費用は今も増加の一途をたどっています。加えて「住宅ローン控除」などの制度にも改正があり、購入する側として、対応していく必要があります。

そんな世の中の変化があっても「住まい」は必要です。賃貸住宅の家賃も安くなりませんし、不動産価格も少しずつ高くなっていっているのが現実です。

だからこそ、最新版になった本書を読んでいただいて、少しでも「購入するお客様側」が知識と知恵を身につけることで、大事な家族の暮らしと資産を守ることのできるマイホームの購入を成功させてほしいと願っています。

私がこのように強く想うようになった理由は、不動産購入の現場で、またリフォームの現場で、たくさんの失敗例を目の当たりにしてきたからです。住宅購入の失敗で人生が狂ったケースも見てきました。

残念ながら、一般的な不動産購入には簡単に失敗してしまうしくみがあるのです。

私は地域密着で、不動産仲介や販売をする不動産部門と、年間1600件以上の工事を施工するリフォーム部門を持つ「住まいのワンストップサービス」を行なう会社を経営しています。

工事職人からスタートし、25年以上リフォームの現場を見てきました。当社には、「中古住宅を買ってから」リフォーム依頼をされるお客様がたくさんいらっしゃいます。そして、そのほとんどのお客様がリフォームの予算や建物の状態などを知らずに買っていたり、無理なローンを組んでいたり、当初の予算やイメージと合わない物件を買っていたりというケースに陥っているのです。

「買う前から私を呼んでくれれば、もっといい家にできたのに……」

「買う前に知っていれば対処できたり、計画的に買えたのに……」

「『不動産業者都合の買い方』にはまってしまって損している……」

そんな歯がゆい、悔しい思いをたくさんしてきました。同時に、中古住宅とリフォームをワンストップで購入する必要性を痛感しています。

しかし実は……、過去の私自身、そんな「業者都合」でがむしゃらに不動産物件を売ってきた営業マンだったのです。

大学新卒で、大手不動産会社に就職し、「お客様に合った物件」を売るというよりも、「売れと言われた物件にお客様を合わせる」ようにしてたくさんの新築マンションを売り、ひたすらトップセールスをめざしていました。

もちろん悪気はありませんし、悪い会社でもありません。業界にとっては〝普通のやり方〟で売っていただけです。

だからこそわかります。不動産営業マンの気持ちも、会社の都合も、そうやって売っている業界のしくみも。


バブル崩壊や阪神・淡路大震災の経験をきっかけに、既存の住宅販売・購入に疑問を持った私は、一から建築を学び、再び不動産の世界に入ります。その時に、「絶対に成功する不動産購入の仕方を広めよう」と決意しました。

日本と違い、中古住宅の取引がメインのアメリカで、最先端の不動産のしくみを研究し、「中古住宅＋リノベーション」という賢い物件の買い方を提案し、多くのお客様に安心と喜びを提供できるようになりました。今では、たくさんの喜びの声をいただき、セミナーなどでその買い方を伝える活動もしています。


なぜ、不動産購入はいとも簡単に失敗してしまうのでしょうか。その大きな原因は、しくみを知らずに「物件探しからはじめてしまう」からです。不動産屋さんに物件探しからすすめられて、買わされるというパターンも多いでしょう。

これだけは覚えておいてください。

「物件探しからはじめると、不動産購入は失敗します」

物件情報ばかりを探し、予算が膨らんでいき、建物の状態の把握やリフォームの予算をないがしろにしたまま契約をしてしまう。

家庭の未来に合わない予算なのに、「新築のほうがいいに決まってますよ！」と言われ、買ってしまう。

物件から探すと、このような失敗が起きるのです。

しかし、「中古住宅＋リノベーション」のワンストップ購入を実現できれば、資金的余裕を持って、自分好みの素敵な住宅を購入することができます。その後の幸せなライフスタイルを築く最高の基地にすることができます。

「中古リノベーション」という言葉は、最近よく耳にするようになりました。特に若い世代に流行っている住宅の買い方です。私は、これからもっと主流になっていくと思っています。

メリットが多いことが人気の理由です。

- つらい返済が長期間続く新築より安く購入でき、ライフスタイルを充実できる
- 個性的なリフォームを楽しんで、建売住宅よりおしゃれな住まいがつくれる
- 注文住宅のように好きな設備機器やインテリアを楽しむことができる
- 同じ予算で、新築よりも「立地がいい」「土地や建物が大きい」物件が買える
- 資産的にお得な買い方ができ、かつ、住みながら資産を増やすことができる

ほかにもいろいろなメリットがありますが、これらが、「中古でいい」から「中古がいい」に変わってきた理由です。

物件情報はインターネットで入手することができます。そこで大事なのは、気になった物件を相談できるパートナーがいるかどうかです。

「本当に予算に合っているのか？」「相場の価格になっているのか？」「建物の状態は大丈夫か？」など、ネットに載っていない情報を教えてくれる人が見つかるかどうかなのです。たまたま行った不動産会社、または、たまたま担当になった人が当たりなら住宅購入が成功し、はずれなら失敗して大きなローンを抱えて苦しむ。そんなギャンブルのような恐ろしい状況から脱却しましょう。

購入する側が賢くなれば、必ず不動産業者もそれに対応しようとしてくれます。

本書では、不動産＋リフォーム会社の現役社長ならではのリアルな「失敗しない住宅購入」をお伝えします。必要な知識を習得し、業者を選ぶ基準や物件を選ぶ基準、「中古住宅＋リノベーション」のワンストップ購入のコツを詳しく解説していきます。

あなたの住宅購入が成功し、笑顔が溢れる幸せなライフスタイルの実現に、お役に立てることを願っています。

最新版　必ず知っておきたい　「中古住宅＋リノベーション」を賢くお得に買う方法●目次

「中古住宅＋リノベーション」で自分好みのマイホームをつくろう！

はじめに（最新版の刊行にあたって）

1章　不動産会社に行く前に、まずは家を買う理由をしっかりと整理する

賃貸脱出のメリット・デメリットを確認する

1　あなたが生涯に支払う家賃の総額を計算したことがありますか？　020
2　賃貸脱出！　賢く買うと資産に差が出る！　低金利時代のお得な事実　024
3　賃貸という選択が向く人はどんな人？　027
4　高齢になってからの賃料・入居のリスクを知っておく　030
5　「死んだらローンがなくなる」VS「死んでも払い続ける家賃」　032
6　どうせ買うなら早いほうがいい。健康リスク・定年後の支払いの差　034
7　史上空前の超低金利の有利さを本気で知ることが大事　037
8　頭金が0円でも！　今買ったほうが貯金して将来買うよりお得な理由　043
9　コロナ禍でわかった住まいの重要性　046

10 これからどうなる!? 建築資材の値上げが止まらない 048

2章 物件探しからスタートすると失敗する。賢く買うために知るべきこと

新築で失敗する人が急増中！ 負債になる家と貯蓄になる家

1 不動産会社に行く前に、まずは勉強することが大事 052
2 ローンで家に縛られる「新築地獄」。買った次の日に2割も価格が暴落 056
3 不動産の特性を知っておくことが大切 060
4 家に縛られる「負債になる家」と資産が増える「貯蓄になる家」 063
5 アメリカの中古住宅流通との違いを知って、購入時に活かそう 067
6 リフォーム予算の失敗 中古住宅購入が難しいことを知る 070
7 予算が曖昧なまま物件を探さない。「とりあえず見に行こうか？」で起こる失敗 072
8 不動産会社は借りられる額からすすめてくる。安い中古は売りたくないのが本音 074
9 これは使える！ 「自分に合った予算を決めるための資金計画シート①&②」 077
10 中古住宅には消費税はかからない？ 手数料はいくらいるの？ 084

3章

「中古でいい」から「中古がいい」に変わる！ 中古住宅で楽しくリノベーション

新築以上の個性が光る自分だけのマイホームにするメリット

1 「古い」「汚い」はリフォームで解決できる 088
2 建売の設備はしょぼい？ 住む側の人が選ぶからいい設備が入る 091
3 だから人気のリノベーション 自分好みに遊び放題 093
4 ここが肝心。リフォーム予算の立て方とタイミングのカギ 096
5 新耐震と旧耐震の違いを知る。安心を得るために大切な築年数での見分け方 102
6 買う前に知らないとまずい工法の違い。こんな家にご注意！ 107
7 知っておけば役に立つ。住宅の構造・工法のメリット・デメリット 110
8 中古住宅購入時にリフォームする場所人気ランキング 113
9 リフォームのスタイルを決めるとおしゃれに決まる 117
10 コロナ禍で変化が加速！ 新築から中古リノベに 121

4章

賢い「中古住宅＋リノベーションのワンストップ購入術」はコツが必要

成功する住宅購入の新スタンダード

1 まずは賢いワンストップ購入の流れを知っておく 124

2 ローンの事前審査が、住宅購入をスムーズにする 132

3 物件流通のしくみを知る。中古物件はどこの会社からでも買えることがメリット 136

4 不動産会社のペースに巻き込まれるな！ 140

5 これからは必須！　インスペクション（住宅診断）の重要性 143

6 低金利の住宅ローンにリフォーム費用を組み込もう 147

7 不動産業とリフォーム業ではスピードにギャップがある 149

8 中古住宅でローン控除を受ける裏技「瑕疵保険と適合証明」 154

9 上手に瑕疵保険に加入するための知識 159

10 親の援助に国は優しい。贈与の特例は使わないと損 164

11 買った後が一番長い。アフターサービスの重要性を知る 166

5章

さあ行動しよう！
物件探しと業者選びのコツのコツ

お客様が賢くなれば、業者も賢く対応するようになる

1 不動産会社を訪問する前に使う「不動産業者選びのタイプ別判断シート」 170

2 さあ、不動産会社に行こう！　訪問前の準備を確認しよう 173

3 営業マンに聞く「魔法の質問シート」で見分ける！ 177

4 意外と知らない!?　あなたの契約相手はだれ？ 182

5 リノベ済み物件はお得なのか？　裏事情を知って賢く狙う 185

6 戸建て＆マンションどっちがいい？　どう選ぶ？ 189

7 買ってはいけない中古戸建物件を見分けるコツ 193

8 買ってはいけない中古マンション物件を見分けるコツ 198

9 家を買うのではなく、「住宅ローンを買う」と考える 202

6章

物件の購入を判断するための絶対知っておきたいルール

決断する時の不安を少なくするチェック項目

1 物件を探し出すと麻痺する感覚。「家を買うこと」が目的になっていませんか？ 206

2 ハザードマップで地域の情報を確認しておこう 209

3 生き残るエリア、捨てられるエリア。人口減少の未来を考えて家を買う 210

4 買えない人と買える人。最終判断はあなたしかできない 213

5 その家は売れますか？ 貸せますか？ 住むだけでなく資産として物件を見る 218

6 物件購入のメインイベント、買付証明書を入れる 220

7 買付証明書を入れるタイミングは、価格交渉の絶好のチャンス！ 223

8 契約書、重要事項説明書で確認しておくポイント 225

9 決済（引き渡し）までにしておくこと 230

おわりに

巻末付録① 【住宅購入 お役立ちサイト】

巻末付録② 【戸建住宅リフォーム概算費用早見表】

巻末付録③ 【マンションリフォーム概算費用早見表】

カバー・口絵デザイン
ホリウチミホ
（ニクスインク）
本文デザイン・DTP
マーリンクレイン

※本書初刷（２０２２年）以降、不動産価格やリフォーム工事代金、商品・建材価格の値上がりが続いております。費用の概算について、必ず最新情報をご確認いただき、計画されるようお願いいたします。

1章

不動産会社に行く前に、まずは家を買う理由をしっかりと整理する

賃貸脱出の
メリット・デメリットを
確認する

1 あなたが生涯に支払う家賃の総額を計算したことがありますか？

本書を手にした読者の皆さんは、おそらく「家を買いたい」と思っていて、かつ家を買うのは初めての経験だと思います。

皆さんはなぜ「家を買おう」と思いましたか？

理由は人によって様々だと思います。

- 子どもが大きくなって、今の家が手狭になったから
- 家賃がもったいないから
- 子どもの入学のタイミングで賃貸生活から脱出したいから
- 定年になる前に住宅ローンを組まないと家が買えないから
- 結婚して住居がいるから

ほかにもいろいろな理由や事情があると思いますが、「なんとなく」という方や、「友達が買ったから」という理由で家探しをスタートした方もいらっしゃるかもしれません。

そして、ほとんどの読者の方は、現在、賃貸住宅に住んでいるのではないでしょうか？

もちろん、社宅やご実家などに住んでいる方もいるとは思います。

ここで一度考えてみましょう。皆さんが今、家を買うタイミングを逃して、生涯賃貸住宅で過ごすと、いくらぐらいの家賃総額を人生で支払うと思いますか？

仮に、25歳で結婚して、家賃８万円の２ＬＤＫに入居。

子どもが２人になって手狭になり、32歳で家賃10万円の３ＬＤＫに転居。

この場合で、平均寿命近くの85歳まで住んだとすると、

年間96万円×７年＝６７２万円。

年間１２０万円×53年＝６３６０万円。

合計７０３２万円！

もちろん地域や環境によってもっと安い家賃設定もあれば、都会ではこんなに安い家賃はないと感じる方もいらっしゃるでしょう。

ともあれ、7000万円を超える住居費をどう見るかです。

もったいないと感じませんか？　しかも7000万円も払ったのに子どもや家族に残せる資産は「ゼロ」なんです。

この事実に気づいている人は意外と少数です。考え出すのが、定年を迎える頃という人も多いのが現状です。

図①をご覧ください。生涯賃貸の場合と32歳で住宅を購入し2500万円の35年ローンを組んだ場合の住居費のイメージです。途中で返済が済むパターンと、払い続けるパターンの差に注目してください。

生涯賃貸の場合、「収入が年金だけになったら、死ぬまで家賃を払い続けられるのだろうか？」という不安が頭をもたげるでしょう。

そんな不安にとらわれないよう、できるだけ早めに住まいについて考えておくほうがい

図①　賃貸と持ち家の住居費比較グラフ

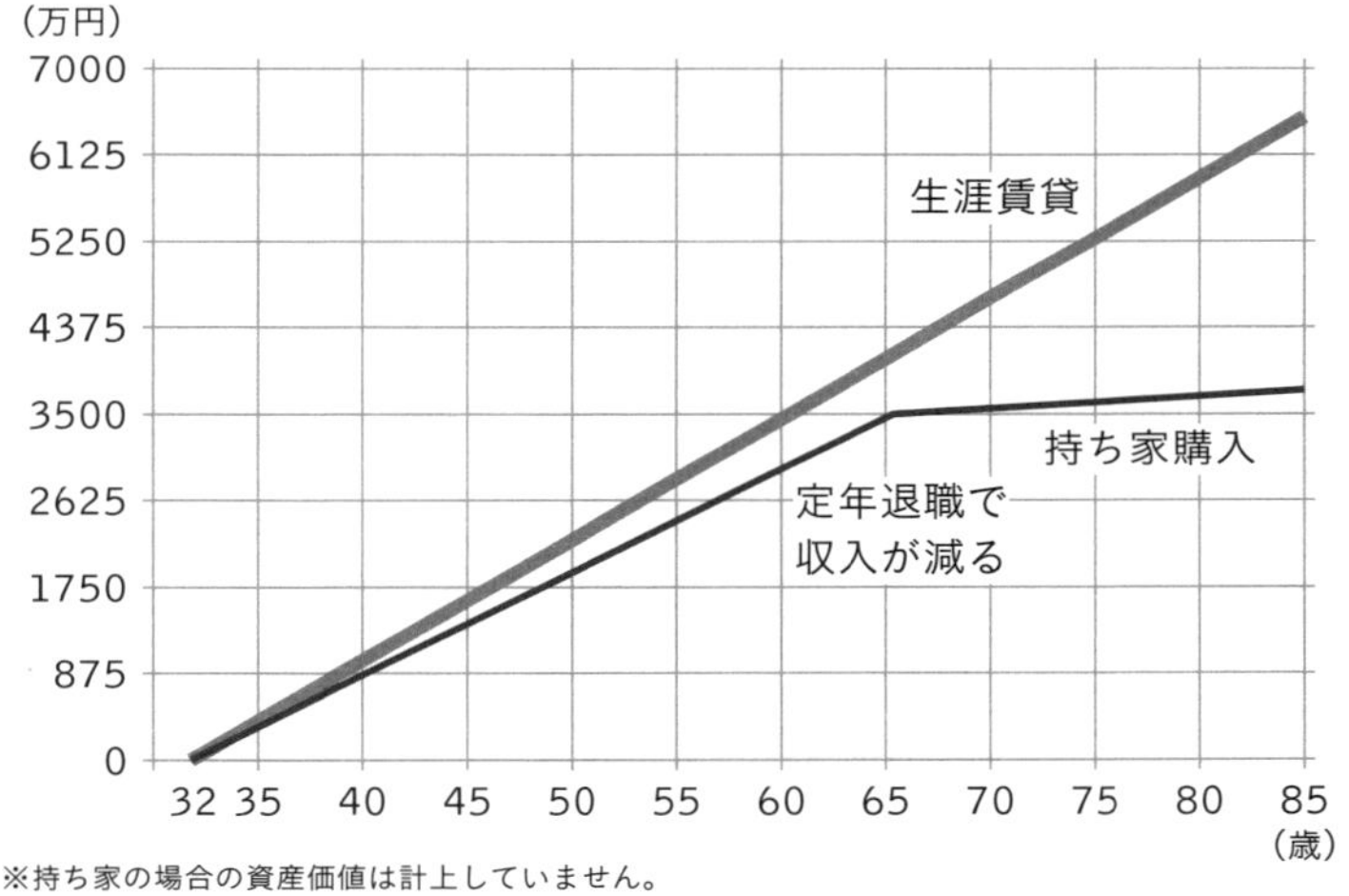

※持ち家の場合の資産価値は計上していません。

いのです。

本書を手に取ったあなたはとても賢明な方です。家を実際に購入するかどうかは別にして、今そのことについて知識を得ようと思ったからです。

しかし、「家を買う」ということは人生にとって間違いなく大きな買い物です。一般的に、住宅を購入するのは一生のうちに1回か2回が普通でしょう。

それに失敗してしまうと人生にとって大きな痛手になります。一方、上手に住宅購入ができると、幸せなライフプランの実現や資産形成にも成功するメリットがあります。
ぜひ本書で学び、住宅購入を成功させ、有意義な人生にしていってください。

2 賃貸脱出！ 賢く買うと資産に差が出る！ 低金利時代のお得な事実

では、前項で例としてあげた賃貸に住み続けた場合と、途中で家を購入した場合とでは、将来的にどう変わるのか？ 比較してみましょう。

● 25歳で結婚して、家賃8万円の2LDKに入居（ここまでは前項と同じ）
● 子どもが2人になって手狭になり、32歳で「中古住宅+リノベーション」を購入
購入費用総額 2500万円、4LDK、戸建て
（自己資金0円、ローン借入2500万円
（物件価格1800万円+リフォーム費用500万円、諸経費約200万円））

ローン35年、金利1％、月々返済約7万1000円、ボーナス払いなし
固定資産税・維持費で年間15万円
平均寿命近くの85歳まで住んだとすると……。
次ページ図②をご覧ください。総住居費はなんと、生涯賃貸の場合より2601万円も購入した場合のほうが安くなるのです。

もちろん購入する物件の金額や固定資産税の額などで変わりますが、これほどの差が出れば、古くなった時にきれいで機能的なリフォームをするという選択もできますね。

そして知ってほしいのは、持ち家は、**賃貸よりも間取りが広く、賃貸よりもグレードの高い設備にできるという点です。**

さらに、**立派な資産となるので、売却すればまとまった現金が入ります。**

この差に気づいたあなたには、資産を上手に活用して生活を豊かなものにしていくチャレンジをおすすめします。

図② **賃貸と持ち家の総住居費比較**

生涯賃貸生活の場合

➡ 年齢区分

32歳～85歳

➡ 家賃月額……10万円／月

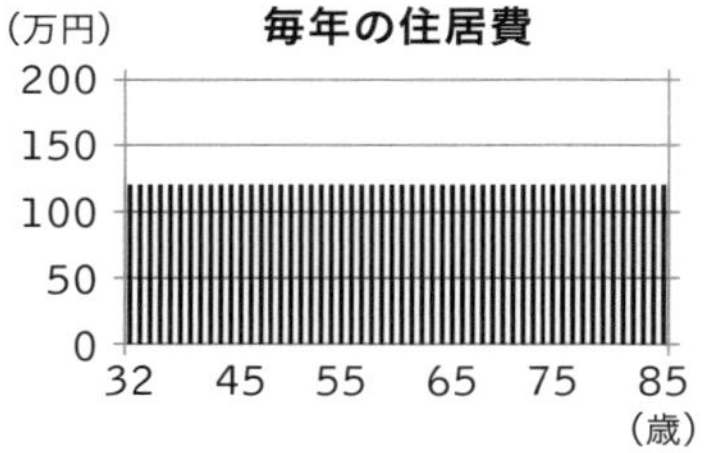

➡ 総住居費

6360万円

持ち家購入の場合

➡ 購入費用総額……2500万円

➡ 頭金……0円

➡ ローン返済期間……35年

➡ ローン金利……1.000％

➡ 固定資産税・維持費……15万円／年
(固定資産税目安額=8万円／年)

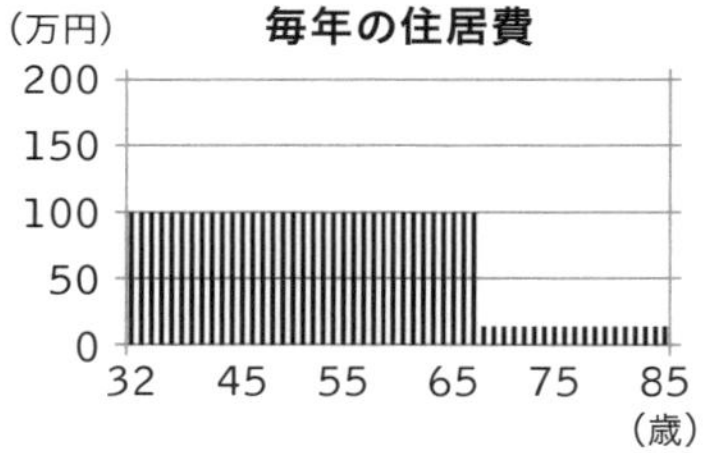

➡ 総住居費

3759万円

総住居費は、持ち家購入のほうが生涯家賃生活より

2601万円安くなります

3 賃貸という選択が向く人はどんな人？

ここまで、「家は生涯賃貸より購入したほうがお得」という話をしてきましたが、これはすべての人に当てはまるわけではありません。賃貸住宅で生涯を過ごすほうが向いている人もいます。

例えば次のような人は賃貸向きと言えるかもしれません。

- 転勤などが多く、同じ場所に住むのが難しい人
- 収入が多く、生涯で払う家賃が気にならない人
- 気分や状態に合わせて住まいを変えたい人
- 定職がなく、ローンが組めない人
- 海外移住などの計画がある人

●**生涯にわたって公営住宅や社宅など、安く家を確保できる人　など**

住宅を購入すると、なかなか数年単位での買い替えはハードルが上がりますし、売却時の諸経費を考えると、簡単には住まいを移れないデメリットがあることも事実です。

また、賃貸住宅のメリットには次のようなことがあります。

●**設備のメンテナンス費用がかからない**
●**固定資産税がかからない**
●**住まいを変えることが購入より簡単**
●**ローンが組めない人でも住める**

特に大金持ちで家賃に大金をかけても大丈夫な人は、都会の勝ち組セレブマンションなど設備グレードの高い物件に住めるので、高級賃貸マンションや高級ホテルなどで過ごすのもいい選択なのかもしれません。

しかし、賃貸のデメリットも考えてみましょう。

- **家賃をいくら払っても自分の資産にならない**
- **他人の家なので気を使って汚さないように住まなければいけない**
- **契約を切られて住めなくなる場合がある**
- **大黒柱が亡くなっても、家賃は払い続けなければならない**
- **一般的に、同返済額で購入した家に比べて設備グレードが低く、狭い**
- **高齢になると借りられる家が限定されてくる**
- **ペットが飼えない物件が多い**

このように、購入と賃貸、どちらもメリット・デメリットがあるので、自分と家族のライフスタイルや価値観に合わせて住宅を選ぶことが大切なのです。

4 高齢になってからの賃料・入居のリスクを知っておく

前項でも出てきましたが、賃貸住宅で忘れてはならないリスク、それは高齢者になってからの賃貸住宅への入居のリスクです。

60歳や65歳で会社を定年になり、嘱託やアルバイトなどで多少の収入を確保できる方もいらっしゃいますが、一般的には年金の収入に頼ることになります。

当然高額な家賃を支払うのがつらくなります。**日本の年金制度で支払われる年金の額には、基本的に住居費は含まれていないのが現実です。持ち家のローンが終わっている計算で、メンテナンス費用かマンションの管理費程度の計算となっています。**

前述の例の月10万円という家賃は、年金から支払うには負担が重いです。仮に60歳で会社を定年になり、そのままさらに25年間住み続けるとざっと3000万円が必要になります。ゾッとしませんか？　しかも住居費だけで、です。これに加えて生活費が必要になります。

年間300万円で暮らしても、25年で7500万円必要です。寿命が長くなる日本で、100歳まで生きるとなると、さらに多くの家賃と生活費が必要でしょう。

すると当然、毎月の家賃を抑えたくなります。同時に、広い家も必要なくなってきます。1階の面積が広いバリアフリーの家が必要になるのです。

さて、ここからが本題です。

こういった理由から、高齢になって収入が少なくなってから家を探しても、借りられる家が限られてくるのです。「そんなバカな……」と思うかもしれませんが、家主側の立場になって考えてみましょう。

- 高齢者は若い人と比べて病気になったり亡くなる可能性が高い（家の中で死なれると、その後はかなり安く貸さなければならなくなる）
- 収入が確保しにくい（家賃を滞納する可能性が高い）
- 保証人を付けにくい（若い人ならば親が保証人になってくれやすい）

このようなデメリットがあるのです。

同居してくれる子どもがいれば、また違う展開になりますが、せっかく働いてきた人生の終盤を、あまりみすぼらしい家で過ごしたくはないですよね。

持ち家であれば、ローンが終わった住まいが確保できます。先ほどの家賃3000万円を考えれば、古くなった家をバリアフリーに新しくリフォームして快適に住んでも安くつくのではないでしょうか？　家族が集まれる、友達が集まれる家にして、楽しいマイホームライフが送ることができれば幸せですよね。

5 「死んだらローンがなくなる」VS「死んでも払い続ける家賃」

もうひとつ、持ち家には、賃貸にはないメリットがあります。

基本的に住宅を買う場合、ほとんどの人が住宅ローンを利用します。その住宅ローンには「団体信用生命保険」を付けることになります。この「団体信用生命保険」には簡単に言うと次の性質があります。

- **借主が死亡した際、ローン残高を生命保険で一括支払いしてくれる**
- **ローンの種類によって、死亡だけでなく3大疾病や高度障害などでも保険適用になる商品もある**

万が一、ローン返済中に死亡した場合、ローン残債は全額、保険適用で返済。ローン残金0円となります。もちろん、そんなことはないに越したことはないのですが、人間はだれしもずっと生きられるわけではありません。**万が一の時に残された家族に、家を残債のない状態で残せるということは、世帯主としても安心なのではないでしょうか。**

一方、賃貸の場合、愛する人が亡くなった悲しみと、収入がなくなったのに家賃を払っていかなくてはいけないという不安が残ります。しかし、家が確保できていれば、そのまま住み続けることもできますし、売って現金にすることもできます。別にかけていた生命保険を住居費に使わなくてもよくなります。

死はつらいものですが、せめて家のことだけでも悔いを残すことなく、家族から「ありがとう」と言われたいものです。

6 どうせ買うなら早いほうがいい。健康リスク・定年後の支払いの差

ここまでいろいろな角度から住宅購入のメリットをお話してきました。
本項では、「どうせ買うなら早いほうがいい」というお話をします。
早いほうがいいと言っても、最低限の条件があります。

- 未成年でないこと
- 直近の勤続年数が、できれば3年以上（最低でも1年以上）あること
- 住宅が必要であること

私のお客様には、早い方で結婚を機に購入される20代半ばの方から、定年前のローンが

組めるギリギリの50代後半の方までいらっしゃいますが、一番多いのは20代後半から40代前半の世代です。

ではなぜ「どうせ買うなら早いほうがいい」のでしょうか？

理由は大きく3つあります。

❶健康リスク
❷高齢者返済リスク
❸家賃のリスク

1つ目の「健康リスク」とは、先ほど説明した「団体信用生命保険」に**入れなくなるというリスク**です。

債務者が亡くなった時に下りる保険なので、入る時に健康状態の申告または検査が必要です。これが結構厳しかったりします。

私は今、50代になりましたが、この歳になると健康診断で結構いろいろなところが引っかかってきます。糖尿病の疑いや高血圧、肝臓が悪いなど、同年代の友人が集まると不健康自慢がはじまるほどです。

糖尿病や初期のがんなどを少しでも患ったりすると、保険に入れない場合があります。団体信用生命保険に入れないとローンが組めません。そうなると家が買えなくなるのです。ですから、健康な若いうちに購入するのが賢明です。

2つ目の「高齢者返済リスク」は、前述した賃貸との比較の際に出てきましたが、**定年退職してからの住居費支払いのリスク**です。

例えば32歳から35年ローンで借りた場合、返済完了の歳は67歳になります。65歳まで働いても後2年残ります。これぐらいでしたらほとんどの人は、繰上げ返済したり、退職金で払ったりして完済することはそう難しくはないと思います。

しかし、例えば45歳で購入したとすると、返済期間も短くしなくてはならず、その分毎月の返済額は多くなりますし、30年で組んだとしても完済は75歳ですから、65歳まで働いてもまだ10年の返済が残っていることになります。賃貸と違ってゴールが見えているのでまだマシですが、しんどいですよね。それに、改めて45歳までの賃貸分がもったいないことにもなります。

ずばり、それが3つ目の理由なのです。

購入が遅くなればなるほど、賃貸で払った家賃がもったいなくなります。

仮に8万円の家賃を28歳から45歳まで17年払ったとしたら、約1632万円払うことになります。このお金は自分の資産にはならないのです。

まして金利が異常に安い今だから、「どうせ買うなら早いほうがいい」ということになります。

7 史上空前の超低金利の有利さを本気で知ることが大事

今、「超低金利時代」と呼ばれています。長い期間低金利が続いているので、なんだか当たり前になってきていると感じるかもしれませんが、この「金利」という化け物は住宅ローンでは大きく影響します。

図③　民間金融機関の住宅ローン金利推移（変動金利等）

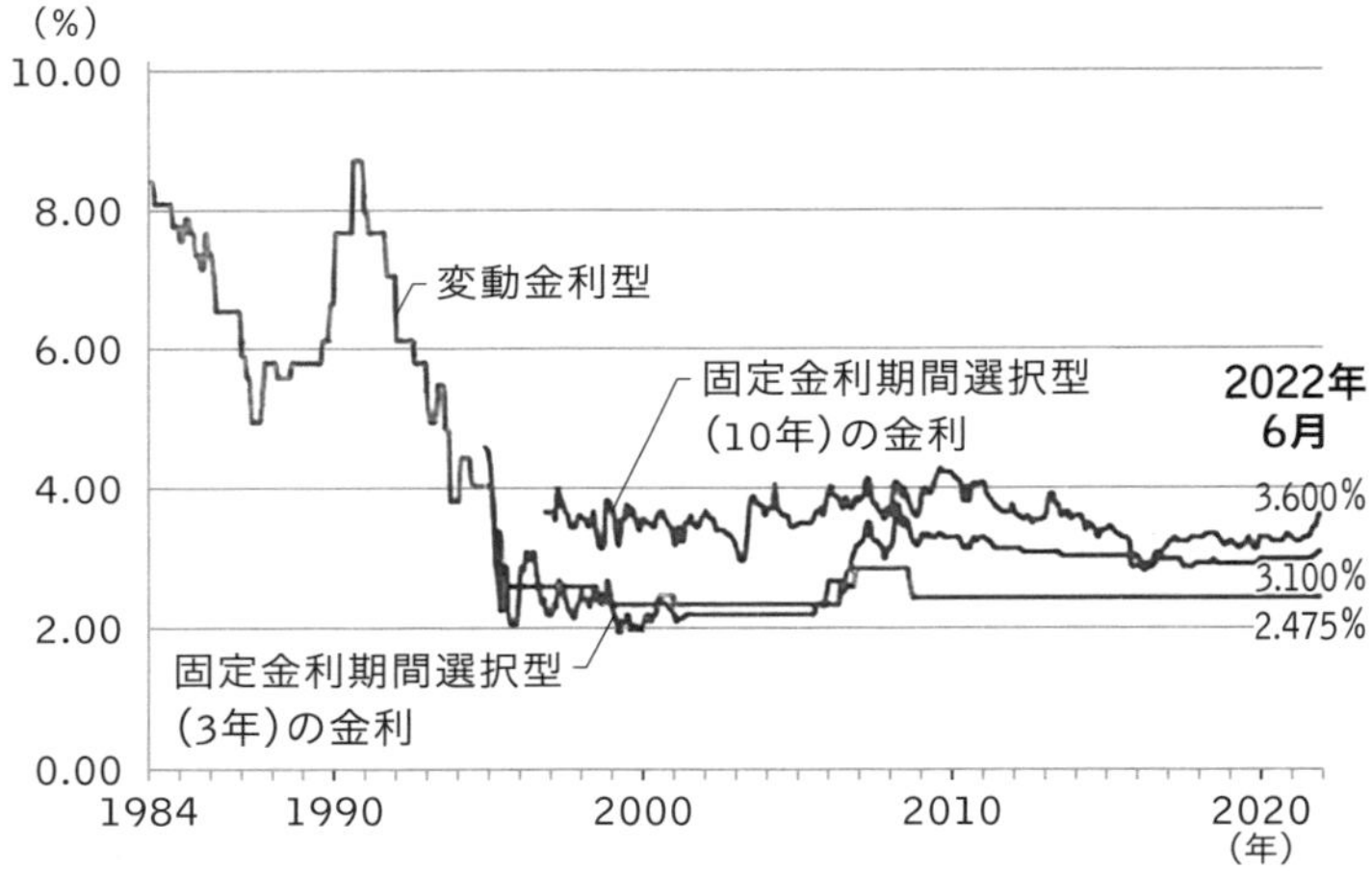

※主要都市銀行のHP等により集計した金利（中央値）を掲載。なお、変動金利は昭和59年以降、固定金利期間選択型（3年）の金利は平成7年以降、固定金利期間選択型（10年）の金利は平成9年以降のデータを掲載。
※このグラフは過去の住宅ローン金利の推移を示したものであり、将来の金利動向を約束あるいは予測するものではありません。
出典：住宅金融支援機構ホームページ

図③をご覧ください。信じられないかもしれませんが、私が不動産営業をはじめた平成３年（１９９１年）頃の金利は住宅金融公庫が５・５％、変動金利はなんと８％近いのが当たり前でした。平成５年頃になると公庫の金利が４％台前半になり、「こんな低金利の時に買わないとチャンスを逃しますよ！」と言って営業していたのを覚えています。

最近では、よく使われる

変動金利は基準金利が2％台と低いだけでなく、さらに金利優遇を受けて1％を切る金利（0・675％や0・9％など）で実際に借りることができるようになっています。この金利の違いは比較してみるとその恐ろしさがわかります。

次に、次ページ図④をご覧ください。仮に2500万円をローン①（現在の金利1％）とローン②（平成初期の金利4・9％）の条件（同じ返済期間）で借り入れた場合の総返済額の違いです。

ローン①は2500万円の借り入れで、総返済額が約2964万円。
ローン②は2500万円の借り入れで、総返済額が約5232万円。

なんと、2268万円もの差が出ました。この金額の差、恐ろしくないですか？ 約30年前は、すべての人がこんなローンを組んで家を買っていたのです。

図⑤がローン①の返済状況グラフです。毎月の返済額は、当初から利息よりも元金のほ

図④　**金利による総返済額の違い**

ローン①　初期の借入条件	ローン②　初期の借入条件
プラン名：**金利の安い今**	プラン名：**金利が高かった平成初期**
➡ 借入金額…………… **2500** 万円	➡ 借入金額…………… **2500** 万円
➡ うちボーナス払い………… **0** 円	➡ うちボーナス払い………… **0** 円
➡ 返済方法…… **元利均等返済**	➡ 返済方法…… **元利均等返済**
➡ 返済期間…………………… **35** 年	➡ 返済期間…………………… **35** 年
➡ 借入金利…………… **1.000** %	➡ 借入金利…………… **4.900** %

両ローンの比較

	ローン①（金利の安い今）	ローン②（金利が高かった平成初期）
総返済額	約2964万円	約5232万円
返済期間	35年	35年

ローン①（金利の安い今）のほうが
総支払額が **2268万円少ない**

図⑤ **返済状況グラフ**
ローン① 金利の安い今

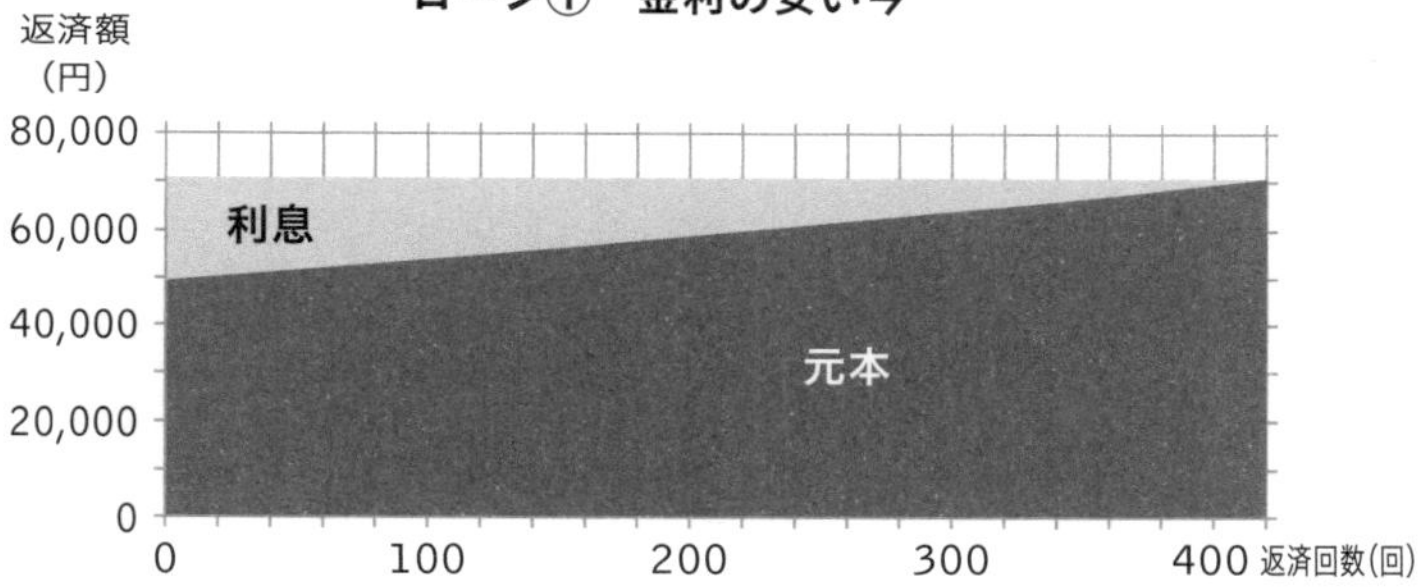

図⑥ **返済状況グラフ**
ローン② 金利が高かった平成初期

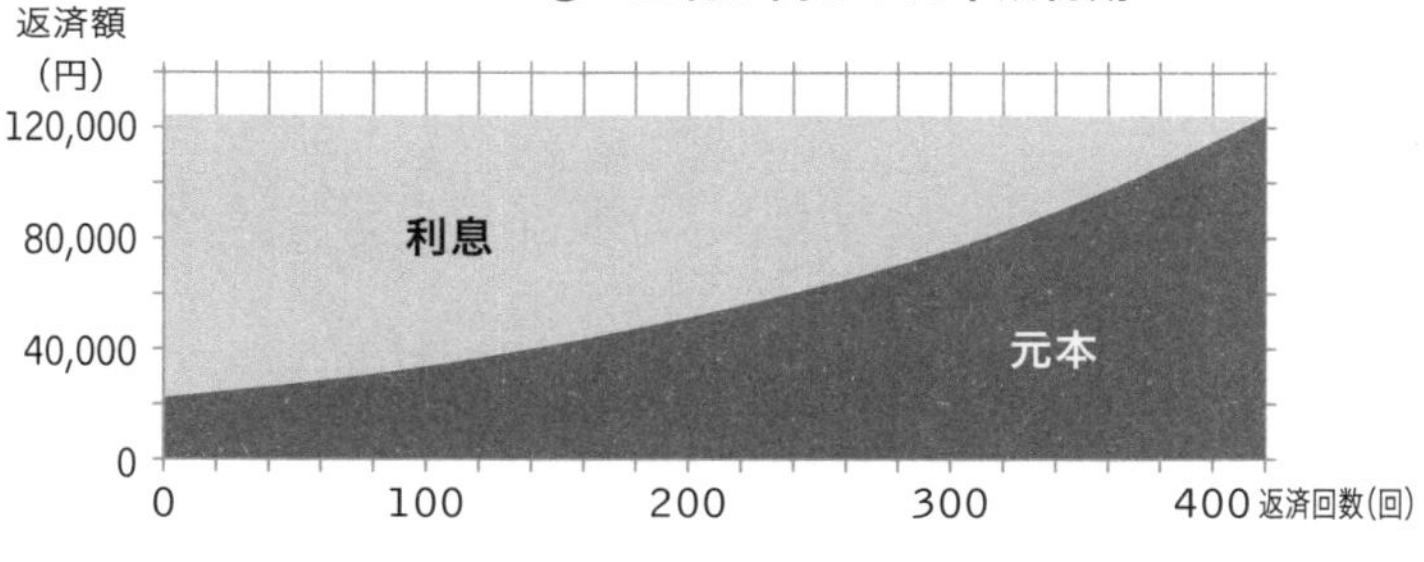

うが多くなっています。

図⑥がローン②の返済状況グラフです。毎月の返済額は、当初は元本よりも利息のほうがずっと多くなっています。

グラフで見ると、毎月の返済額に対する利息の占める割合の違いが一発でわかりますね。同じ金額を借りているのに、こんなに差が出るのです。

今、この超低金利時代に家を買える人は幸せだと思います。

たとえ1％でも金利が上がると長期の住宅ローンでは大きな差になってしまいます。いつまで続くかわからないので、この金利の差を本気で考えることが大事です。金利の安い今が「買い時」と言われるのも大きくうなずけます。

8 頭金が0円でも！　今買ったほうが貯金して将来買うよりお得な理由

「今買ったほうがいい時期だし、今すぐにでも賃貸を脱出したい……。でも頭金がない」そんな若い人は多いと思います。それはそうです。家賃を払いながら住宅のための貯金をするのはきついでしょう。

ここで朗報です。今は頭金0円でも住宅ローンが組める場合も多いのです。

もちろん、諸経費や手付金に現金があったほうがいいのは当たり前ですが、とはいってもそんなに簡単に頭金は貯まりません。そこで次ページ図⑦の例をご覧ください。

A：今、購入する場合。32歳で2500万円の物件を自己資金0円で35年ローン・金利1％で購入

B：5年後購入する場合。家賃8万円を払いながら月2万円の頭金を貯金。ローン年数、

図⑦ 「今買う」VS「将来買う」比較

A：今、購入する場合

- 現在の年齢……………32歳
- 購入物件価格……2500万円
- 自己資金……………………0円
- ローン返済期間………35年
- ローン金利………1.000％

B：将来、購入する場合

- 何年後に購入？………………5年後
- その間の毎月積立金…………2万円/月
- 物件価格上昇率…1.000％
- 将来購入時のローン金利…1.000％
- 将来購入時の返済期間………35年
- 購入までの毎月の家賃…………8万円/月

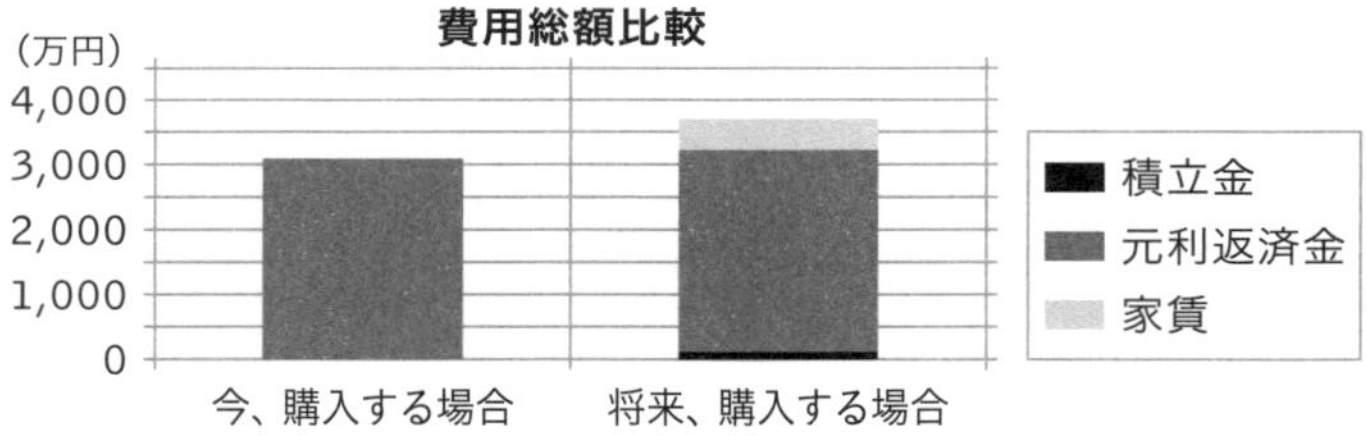

	今、購入する場合	将来、購入する場合
購入時自己資金	0円	123万円
うち積立金額	−	123万円
ローン返済額	3090万円	3099万円
家賃支払い額	−	480万円
住居費総額	3090万円	3703万円
65歳時のローン残債額	175万円	598万円

住居費総額は、今、購入するほうが**613万円安くなります。**

1日あたりに換算すると、**▲3359円になります。**

金利は同じ

この2パターンのシミュレーションです（HYAA FPソフトにて試算。諸経費は考慮していません）。

結果として、今購入するAのほうが613万円安くなります。これは5年遅い分を1日当たりで換算すると、3359円。買うのが遅くなると、毎日この金額分の損をしているとも言えるのです。

「頑張って貯金してから買うほうが高くなるの？」と驚かれたでしょう。高くなる正体は、やはり家賃の支払い額が大きいのです。それとやはり金利が安いからです。もしこの5年後に金利が少しでも上がっていたら、もっと差が開きます。

昭和の時代、団塊の世代と呼ばれる方が家を買う時代は金利が高かったので、「家を買うなら頭金をたくさん貯めてから」がスタンダードでした。いかにローンの額を減らすかがポイントになるのです。

でも今は違います。この超低金利時代に貯金して利息を増やすなんて無理な話です。コンビニのATMで引き出したとたん、年間の金利なんてマイナスになってしまう世の中です。

もしかしたら、あなたのご両親は、「頭金も貯めてないのに家を買うなんてやめなさい！」と言うかもしれません。

その時はぜひ本書を見せてあげてください。図を見ながら、「時代が違うのよ。こんなにお得になるのよ」と。

でも、もしご両親から資金援助がある場合は、丁寧に丁寧に説明しましょう。

9 コロナ禍でわかった住まいの重要性

新型コロナウイルスの影響によって世の中が激変しました。

私の会社もコロナが蔓延しはじめた当初、イベントや集客もできず、業績も一時期下がりました。飲食業や旅行業など、壊滅的な打撃を受けた業界をはじめ、各業界に少なからずとも影響があったと思います。しかし、非常事態宣言を繰り返しながらも、結果的には約2年間、私の会社の業績はコロナ以前より上がったのです。

これはコロナ禍をきっかけに、**「住まいの重要性」が明確になった**からだと思います。

では、どんなふうに住まいに関する考えが変わったかというと、次のような意見をよく聞くようになりました。

- **不況でも災害時でも家賃を払わなければならないなら買っておこう**
- **給料が下がるかもしれないので、今のうちにローンを組もう**
- **オンラインに対応するため、都心のマンションから郊外の住宅に移り、広さを確保したい**
- **家にいる時間が長くなったので、リフォームしたくなった**
- **家族の書斎や個別のスペースがほしくなった**
- **都会から田舎へ。暮らしの目線が変わった**

などなど

職がなくなろうとも「家」は必要であり、家賃は払わなければなりません。「住まい」は生きるためのベースであることが明確になり、住宅購入のタイミングを考える方が多くなったと言えます。また、オンライン化が進んだこともあり、個別のスペースが必要になり、都心から少し離れても広さの確保できる物件に需要が変化した傾向にあります。

会社や業種によっては通勤が必要ではなくなったり、移住を求めて郊外や田舎へ住まいのベースを移す方も増えたようです。

いずれにしても、資金的に無理のない「快適な家」であることが大切ですね。

10 これからどうなる!? 建築資材の値上げが止まらない

新型コロナウイルスが世界中に影響を及ぼしたことからはじまり、さらにはロシアのウクライナ侵攻によって、輪をかけて建築業界が大変なことになっています。

まず起こったのは「**設備機器が入ってこない！**」というピンチです。

給湯器やトイレ、コンロなど、世界の工場のロックダウンや流通網の乱れから、製品が入ってこなくなりました。工事ができない、引き渡しができないと、大変なことになりました。これにより、メーカーも全力で対処し、少しずつ国内生産や供給の確保をしていますが、今でも注文してから半年経っても商品が入らないというケースが多々あります。

そして**値上げのラッシュ**がはじまりました。設備機器メーカーは軒並み価格を再設定し、高いものは30％近くの値上げ幅となりました。また、木材をはじめ鉄関係などの材料も同じく値上げが激しくなっています。当初は新築もリフォームも業者が利益を落としてでも対応していましたが、値上げは一時的なものではなく、自社努力では対応できなくなり、各社値上げに踏み切っています。新築住宅もリフォームも約2～3割近く値上げしていると思います。

ではこれからどうなるのでしょうか？「待っていれば下がるのか？」、この問いの答えはだれもわからないというのが真実だと思いますが、予想はある程度できます。

「おそらく、建築資材・設備の単価は今後も下がらない」。これが多くの専門家の答えでしょう。

私もそう思います。ロシアのウクライナ侵攻は長期にわたることが予想されますし、新型コロナの影響も少しずつましになってきてはいるものの、いつまた新型が広まるかわかりません。不動産価格も上昇しており、下がる気配が感じられません。

もちろん、人によってタイミングはありますが、「家を買ったり、リノベーションするなら早いほうがいい」というのが得策と言えるでしょう。

2章

物件探しから
スタートすると失敗する。
賢く買うために
知るべきこと

新築で失敗する人が急増中!
負債になる家と
貯蓄になる家

1 不動産会社に行く前に、まずは勉強することが大事

1章では住宅購入の意味や買い時のお話をしました。ここで、「よし！　物件を探しに行こう！」と思われた方、もう少しお待ちください。その行動力は最高ですが、あらかじめ覚えておいていただきたいことがあります。

物件探しからはじめると、住宅購入は失敗します。

そう、ほとんどの人はいきなり物件を探しはじめます。ネットで調べて問い合わせしてみたり、チラシで見た物件を求めて不動産会社を訪問したりするのです。

そして、店頭でこう聞かれます。

「どんな物件をお探しですか？」

「いくらぐらいの物件をお探しですか？」

「場所はどの辺でお探しですか？」

「新築がいいですか？　中古がいいですか？」


聞かれたので素直にこんな感じで答えるでしょう。

「できれば新築で、土地は最低30～40坪以上で間取りは４ＬＤＫ以上。駐車場があって、対面キッチンで、収納が多くて明るい家。駅から徒歩の立地で、学校区にはこだわりたいんです。予算はなんとなく３０００万円ぐらいを考えています」


素直に希望を言った後、不動産会社の担当者から、「ご年収は？　自己資金額は？」という質問のやり取りがあり、担当者はこう言います。

「そのような条件の家、そんな値段ではないですよ」

さも、「あなたのご年収ではその物件は無理ですよ」と言わんばかりに……。

「あなたが希望を聞くから言っただけで、素人なんだからわかるわけがないでしょう」と言い返したい気持ちになると思います。その通りです。わからないからプロのところに相談に来ているのですから。

お客様にとっては、住宅購入は人生の中で大きな買い物で、しかも素人。しかし、不動産会社にとっては毎日たくさんの物件を扱う中の1組で、業界のプロ。

これが現実です。もちろん行った会社や担当者が丁寧でお客様想いの素晴らしいプロなら、住宅購入は成功します。でも、そうでない人に出会ってしまったら、プロの都合で振り回されて、相手の言いなりの物件を買わされてしまうことになるのです。

こう偉そうなことを言っている私も、実は会社都合で物件を買わせていたひとりです。私は大学卒業後、ある大手不動産会社に就職しました。そこでは新築マンションの営業を担当して、トップの成績を取ることだけを考えていました。新築マンション営業ですから、担当するマンションを売ることしかトップになる方法はないので、お客様の予算が合おうが、他の物件のほうがそのお客様に合っていようが、自社のマンションを買わせるしかありません。まさに、初心者のお客様ほど買わされます。名の通った大手不動産会社でもそれが現実です。

その後、リフォームの世界を知り、不動産の仲介の世界を知り、「中古住宅＋リノベーション」のワンストップ購入の大切さを痛感しました。そして、お客様に本当に必要な家の買い方を知ってほしいというのが、本書を書く理由でもあります。

ですから、不動産購入で成功するためには買う側のお客様も勉強して、いい不動産会社といいパートナーを探すことがとても大事なことなのです。

私の会社では、来店していただいたお客様には最初に、「**買い方のセミナー**」を受けていただきます。少々遠まわりですが、**買い方や物件の探し方、税金やローンの知識を知っていただき、準備をしてから物件を探したほうが、結果的に自分で決断できるようになり、チャンスを逃しにくく、住宅購入の成功に近づきます。**

そのセミナーの代わりになるのが本書です。ぜひ、未来のためにしっかり読んでください。

インターネットが普及したことで、物件の情報はお客様側もかなり早く見ることができるようになってきました。いずれ、物件情報はプロ側とお客様側に差がなくなる時代が来る日も近いかもしれません。

ですが、**大事な不動産を購入するためのキモとなる情報は、インターネットでもほとんど見ることができません。**特に中古住宅を購入する時に必要な情報は貴重ですので、しっかり勉強していきましょう。

2 ローンで家に縛られる「新築地獄」。買った次の日に２割も価格が暴落

ここでは少し厳しい現実をお伝えすることになります。なぜなら、私はバブル崩壊後すぐの時代から住宅を扱っていますが、「家の買い方を間違った」ために人生で大きなマイナスを背負った人をたくさん見てきたからです。

● 無理な住宅ローンを背負い、生活が苦しくケンカが増える家族

●真面目に一所懸命働いていたのに、破産してしまった家族
●売れない、貸せない家を買ってしまい、動けない家族
●建物のことをよく知らずに買ってしまい、不満を引きずる家族　などなど

「負債になる家」を持つAさんの実例で見てみましょう。

●新築マンションを3300万円（諸経費200万円、合計3500万円）で購入
●自己資金（親の援助含む）200万円
●住宅ローン3300万円。月々の返済約9万3000円

快適な生活を送っていましたが、新築に引っ越して3年目に勤務先の会社が合併。大阪から名古屋に転勤が決まってしまいました。名古屋では賃貸住宅に入居することにし、賃料と住宅のローン返済、両方は払えないので、住宅を売ることにし、売却依頼で当店に来店されました。

Aさん：「家を売ってほしいんですけど。できるだけ高くお願いします」

当然ですよね。まだ3年しか住んでいないきれいなお家です。

不動産担当者：「家の査定金額が出ました。2450万円です。高く売れても2500万円ぐらいでしょう。ただし、Aさんはまだ住宅ローン残額が3000万円近く残っているので、諸経費を入れると約700万円を現金で用意してもらわないと売却できませんね」

Aさん：「えっ！　そんなの無理……」

そうですよね。親がお金持ちなら、残債を消してくれるかもしれませんが、普通は無理です。ということは、売ることができません。

築年数の新しい家の買い替えができないのはこれと同じ理屈です。**住んだ瞬間に、2〜3割も住宅価値が下がるので、ローンの残債を消せないのです**。だから家を売りたくても売れない事態が頻繁に起こるのです。

Aさんの場合、売ることができないので、賃貸で貸すことにしました。

ここで、「なるほど。よかった〜」とならないのが現実の厳しいところです。

❶賃貸に出すための内装費約30万円。リフォーム代をローンで借りる
❷賃貸でうまく借主が見つかる。家賃10万円（管理費込み）
❸管理費等は家主持ち（約2万5000円／月）。固定資産税（約1万円／月）
❹ローン返済は月額約9万3000円で、ボーナス返済なし

「結局、毎月2万8000円の赤字！　毎年約34万円もの赤字が確定」

毎年34万円なんて大きいと思いませんか？　しかも、もし賃貸人が出て行ったら、またリフォームして、仲介手数料を払って新しい入居者を探さなければなりません。次が見つからない間は毎月12万8000円の赤字決定！　です。

「売れない。貸しても赤字」。これが家に縛られる失敗例のひとつです。

暗い話をして恐縮ですが、現実には「住宅貧困トラップ」というものが、たくさん転がっ

ていることをお伝えしたかったのです。でも大丈夫です。きちんと勉強し、賢くなれば、「負債」ではなく「資産を増やしていく」買い方ができます。

3 不動産の特性を知っておくことが大切

まずは図⑧のグラフをご覧ください。これは日本の新築住宅の価格が築年数に合わせて落ちていくグラフになります。関東、関西、北海道に沖縄、どこでも同じカーブを描きます。昭和40年〜50年代は上昇カーブだったのですが、バブル以降はずっと下降カーブを描いています。

ここで注目してほしいことが2つあります。ひとつは、**新築住宅は必ず価格が下がる**ということです。これは、ほぼ100%の確率です。しかも、**住んだ瞬間に、次の日から2〜3割も下がるのです。**

図⑧　**築年数による価格の変化**

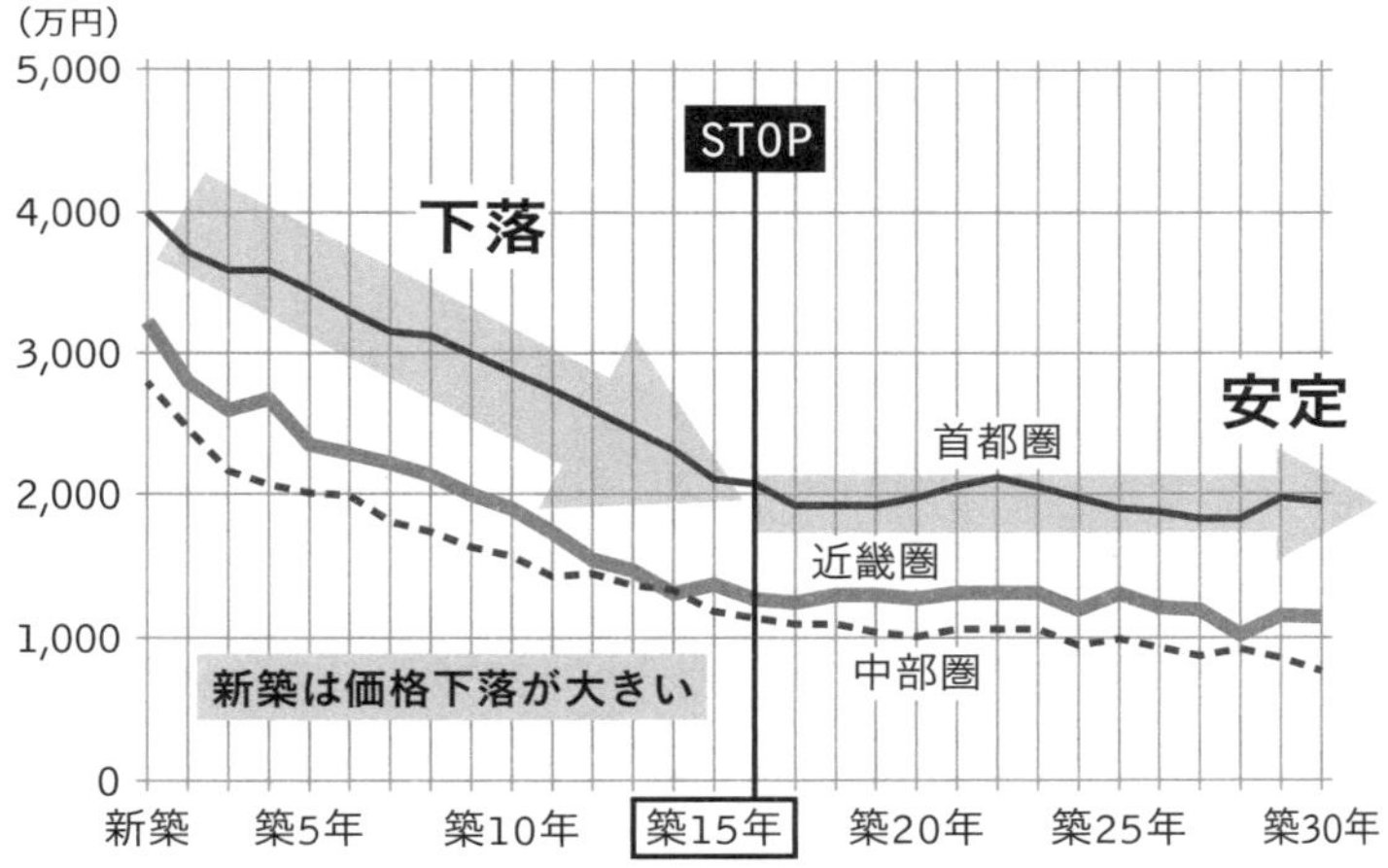

※分譲・流通物件の70㎡換算価格を築年数別に集計（東京カンテイ調べ）

もうひとつは、戸建てもマンションも同じ動きをするのですが、築15年から20年ぐらいにかけてカーブがゆるくなり、**築22年以降は下降しなくなってくる**という特徴です。

これは日本の不動産の特徴で、建物の価値が古くなるにつれて落ちていくからです。戸建ての場合のほうがわかりやすいのですが、簡単に言うと、**築20年ぐらいで建物の価値がゼロになり、土地の値段だけになるということです。**

土地の価格はそんなに変動しないので、下落しなくなるということになります。

つまり、家を耐久消費財という見方だけでなく、資産として見ることが必要な時代になっていることを知ってほしいのです。

では、グラフのどこで買うのが資産として見た場合、お得になるでしょう？

ヒントは、

「新築住宅は、必ずすぐに2、3割の価値が下がる」

「ある程度築年数の経った中古住宅は価値が下がらない」

という特性です。

これは、日本の住宅の価値（建物の価値）が不当に下がっているのが現実とも言うことができます。

確かに、昭和40年代や50年代は建てれば売れる時代で、質の悪い建物もたくさんありました。当時は20年経ったら建て替えをするつもりで、長く住めるような建物を建てていないケースが多いのです。

しかし、昭和の終わりや平成に入ってからの建物は建築基準法も変わり、いくつかの大きな地震を経験したことにより、質の高い建物に変化しています。

それにもかかわらず、金融機関や不動産業者、購入する側の意識はまだ昔の感覚を引きずっており、築22年で木造の建物の価値は0になるとの査定基準が生きているのです。

ここにチャンスがあります。

簡単に言うと、**建物がほぼタダで手に入る物件がある**ということです。**基本構造がしっかりとした建物を買って、古くなった設備や内装をリフォームすれば、お得に快適な家が手に入ります。**

4 家に縛られる「負債になる家」と資産が増える「貯蓄になる家」

ここで、「負債になる家」と「貯蓄になる家」の違いについて考えましょう（HYAAFPソフトにて試算）。

「負債になる家」のAさんの例（新築）

●新築戸建分譲住宅を購入。3300万円＋諸経費200万円、合計3500万円

●自己資金200万円で、住宅ローン3300万円。返済は月々約9万3000円（金利1％、35年ローン）

「貯蓄になる家」のBさんの例（中古＋リノベーション）

●中古戸建住宅（築28年）を購入。1550万円＋諸経費150万円＋リノベーション費用500万円、合計2200万円

●自己資金200万円。住宅ローン2000万円。返済は月々約5万6500円（金利1％、35年ローン）

◆10年後に売却する場合

Aさん：売却査定価格1980万円。
　10年間の返済額合計約1116万円。残債約2390万円。

Bさん：売却査定価格1500万円。
　10年間の返済額合計約678万円。残債約1450万円。

◆20年後に売却する場合
Aさん：売却査定価格1500万円。
　20年間の返済額合計約2232万円。残債約1460万円。
Bさん：売却査定価格1500万円。
　20年間の返済額合計約1356万円。残債約890万円。

さて、違いに注目しましょう。

Aさんは10年後、高額の返済を一所懸命してきても、残債が残るので資産的にはマイナス410万円で、売却できない状態にあり、20年かけて2232万円を頑張って返してきて、売ってやっとトントンです。これが「負債になる家」です。

一方、Bさんの場合は10年後、より安い比較的楽な返済でも売却ができる状態になっています。20年後には1356万円を返済し、売却すると610万円もの利益を生んで、次の住宅購入の頭金にすることもできます。まさに「貯蓄になる家」と言えます。

Bさんのほうが、**楽な返済をしながら貯蓄になっていくという賢い買い方**ができたということです。これは人生において非常に大きな差を生みます。

返済が楽であれば、子どもの教育や余暇にお金をかける余裕が生まれます。

他方、新築の家は手に入りますが、返済が苦しくて余裕がなく、お金で夫婦間のケンカが絶えない状態になっているのであれば、幸せなライフスタイルとは言いにくいのではないでしょうか？

「家を買うこと」が目的ではなく、「家をベースにした幸せなライフスタイルを手に入れること」を目的としてほしいと願っています。

5 アメリカの中古住宅流通との違いを知って、購入時に活かそう

前項まで、日本の不動産の特性を見てきました。世界には、「中古住宅＋リノベーション」を賢く買うしくみをつくっている国があります。残念ながら日本の中古住宅の流通より、かなり進んだしくみを持っています。

これから家を買う皆さんには、そのメリットを知って、自分の購入時に活かしてほしいと思います。

次ページ図⑨をご覧ください。国別の新築住宅と中古住宅の流通の比較です。

日本では最近までずっと、政府が新築中心の住宅政策を取ってきたので、中古は2割にも満たない比率です。おそらく皆さんも同じように感じているでしょう。

図⑨　**世界の中古住宅流通**

日本の全住宅流通量（中古流通＋新築着工）に占める

中古住宅の流通シェアは13.1％（2003年）

であり、欧米諸国と比べると1/6程度と、低い水準にある。

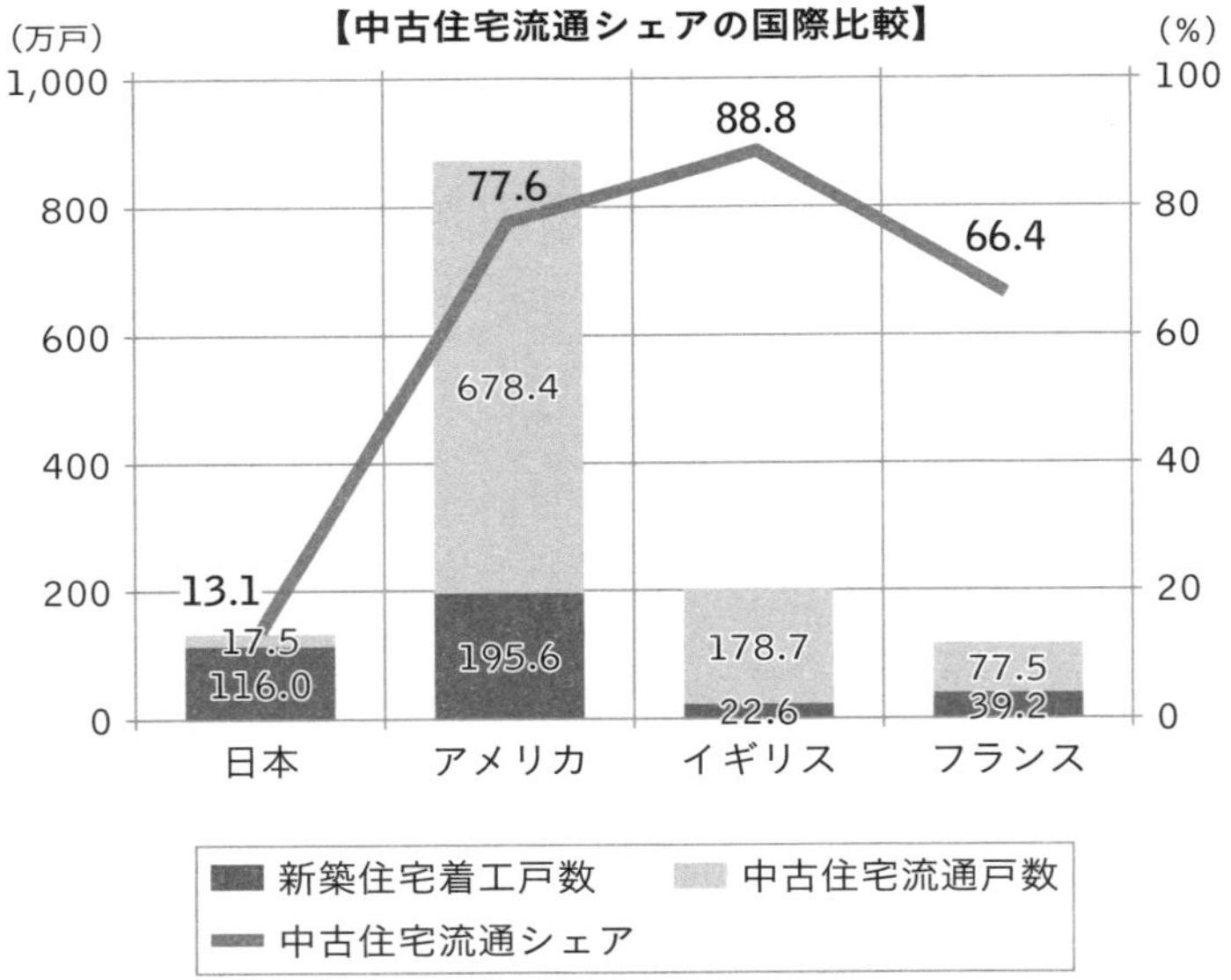

※アメリカ、イギリスは2004年、フランスは2000年と2005年のデータ

出典：『平成20年度国土交通白書』から引用

しかし、**アメリカはじめヨーロッパも、流通の中心は中古住宅なのです。**驚きませんか？私も初めて知った時はびっくりしました。

そこで、実際にアメリカに何度も行き、中古住宅の流通とリノベーションの実態について勉強してきました。中古住宅流通のしくみ、マーケット、情報開示の仕方、不動産業者の役割や罰則など、実務の人に会い、現場を見せてもらって学びました。

学ぶにつれ、「このしくみを必ず日本でも提供できるようにしたい！」という想いが募りました。

アメリカでは、人生のうちにライフスタイルに合わせて5回から6回、家を買い替えます。そして買い替える度に資産を増やしていくのです。

日本では1回、2回という人がほとんどですよね。しかも、その1回を失敗すると人生も失敗するなんて悲しい現実もあります。

しかし悲観することはありません。日本でも国土交通省がアメリカに学びに行きはじめ、いいしくみを取り入れて改善していく流れになってきています。

今後広まっていく、「インスペクション」（住宅診断）の義務化や「安心R住宅」（中古住宅流通の整備・促進）のしくみなどは賢い中古住宅購入のプラス要因になるでしょう。

皆さんにおすすめしたいのは、これから人口が減少していく日本の現実の中で、**家を消費財としてだけ見るのではなく、資産として見ていく考え方を持つこと**です。

プロと同じ感覚を持つということなので、簡単ではないかもしれません。でもご安心ください。本書を読んで、順番に実践していけば、成功する住宅購入ができるようになります。

6 リフォーム予算の失敗 中古住宅購入が難しいことを知る

前項まででも、「中古住宅＋リノベーション」という買い方が人気上昇中である理由を感じていただいたかと思いますが、話は一転し、不動産購入において「中古住宅を買うことが一番難しい」という視点も知っておいてほしいと思います。「せっかく興味を持ったのに……」と思った方ほど知ってほしいことです。

新築住宅は、リスクがあまりないから購入が簡単です。実際に見て気に入れば、後は購入の決断をするだけとさえ言えます。

しかし、中古住宅には、メリットもたくさんありますが、次のようなリスクもたくさんあるのです。

❶建物の情報が少ない（図面や建築確認などがない場合が多い）
❷リフォームした後のイメージがしにくい
❸購入前にリフォーム予算が立てにくい
❹個人間売買だと、現状渡しで基本的に瑕疵担保責任が付かない
❺思うようなリフォームができるのかわからない。構造が不安
❻税制やローン条件などがわかりにくい

中でも一番多いのは、建物の不安と予算の失敗です。ここに日本の中古住宅流通が失敗しやすい現状があるのです。

しかし、逆に言うと、ここさえしっかり勉強して、業者と賢く交渉できれば、成功に一気に近づきます。

7 予算が曖昧なまま物件を探さない。「とりあえず見に行こうか？」で起こる失敗

家を購入する人のほとんどが、いきなり物件探しからはじめます。

しかし、**しっかりした準備をせずに、いきなり物件探しからはじめると、失敗する確率が高まります。**


なぜでしょう？ それは、インターネットやチラシを見て「この物件を見せてほしいのですが」と問い合わせをすると、不動産会社の営業マンから、「早速現場を見に行きましょう！」と言われ、急いで資金計画をさせられ、「買えますね！」と乗せられ、「いい物件な

ので、今日決めないとなくなりますよ」と急かされます。

「そんな急に……」と思っても、押し切られて購入するか、「まだ見はじめたばかりなので」と、何度も同じことを繰り返し、「物件回遊族」として不動産業者からマークされてしまうことも多々あります。

私の会社では、来店された方にはまず「購入の仕方」のセミナーを受けてもらいます。賢い購入の仕方や、ローンの話、物件の探し方などをしっかり勉強してもらいます。その後でなければ物件案内はしないようにしています。

なぜなら、しっかりと自分の予算を知り、流通のしくみや買い方を理解しておかないと、成功する住宅購入ができないからです。そうでなければ、せっかくいい物件と出会っても購入の判断ができず、チャンスを逃すことになります。

新築も中古も同じですが、いい物件ほどすぐなくなります。ゆっくり検討してほしいのですが、残念ながら**人気の物件ほど検討している時間が短くなるのです。**

だからこそ準備が大切です。**いい物件に出会った時にすぐ決断できるように、建物とリフォームの予算、市場の相場、周辺物件との比較など情報が必要なのです。**

ぜひ、基礎知識を身につけ準備ができてから、物件を見に行くようにしましょう。

8 不動産会社は借りられる額からすすめてくる。安い中古は売りたくないのが本音

では、自分に合った予算とはいくらでしょう？　もちろん人によって違いますが、一言で言うと、「**理想のライスタイルを崩さず、無理のない返済に抑えることができる予算**」ということになります。

そしてそれは、**住宅購入にかかるすべての予算をわかった上での話になります。**

ここが失敗しやすいところなのです。

例えば、毎月の返済を8万円に抑えたいとします。

よくある失敗は、8万円をまるまる物件金額に充ててしまうことです。

不動産会社：「8万円の返済ですと、約2830万円借りられますので、この物件などはいかがでしょうか？」（と言って、2800万円ぐらいの物件をすすめてくる）

不動産会社：「お客様のご年収（450万円）でしたら、3300万円ぐらいは借りられますので、もっといい物件が買えますよ」（と言って、予算オーバーの魅力的な物件をすすめてくる）

このような感じです。何を隠そう私自身が駆け出しの不動産営業マン時代にそうすすめていたからよくわかります。

これは不動産流通のしくみの問題でもあります。**不動産会社は、手数料商売で、成功報酬です。そして、その額は物件価格が高いほうが多くなります。**

なぜ安い中古物件を売りたくないのか、比較してみましょう。

中古物件A：1300万円。築30年、リフォーム前の現状渡し。仲介手数料45万円
中古物件B：3000万円。築5年。瑕疵保険付きで現状渡し。仲介手数料96万円

仕事量はほぼ同じで、手数料は倍以上違います。そして、物件Aは古いため、建物のリフォームで後から予算が狂うと不動産会社は責められます。**新しい物件のほうが、クレームが起きにくいのです**。

ですからできるだけ、高額で新しい物件をすすめたいということになります。

もちろんそれが絶対に悪い物件ということではありません。自分の予算に合っていればOKなのです。

避けなければいけないことは、自分の本当の予算を知ることなく、不動産会社のすすめる予算に乗せられてしまうということです。

借りられる額と適正な返済の額は違うということ、総予算の中に先にリフォームの予算、諸費用、引っ越し費用、カーテンやエアコンなどの後からかかる費用、不動産取得税などを含めて考えることが大事だということを覚えておきましょう。

9 これは使える！「自分に合った予算を決めるための資金計画シート①&②」

では、自分に合った予算の物件を探すにはどうすればいいでしょうか。

物件探しは本来、不動産のプロの仕事ですが、自分で理解しておくと失敗しにくいので、ぜひ考え方だけでも知っておきましょう。

次ページ図⑩の資金計画フローチャートをご覧ください。

まず、毎月の返済可能額を書き込みます。

図⑩　資金計画フローチャート

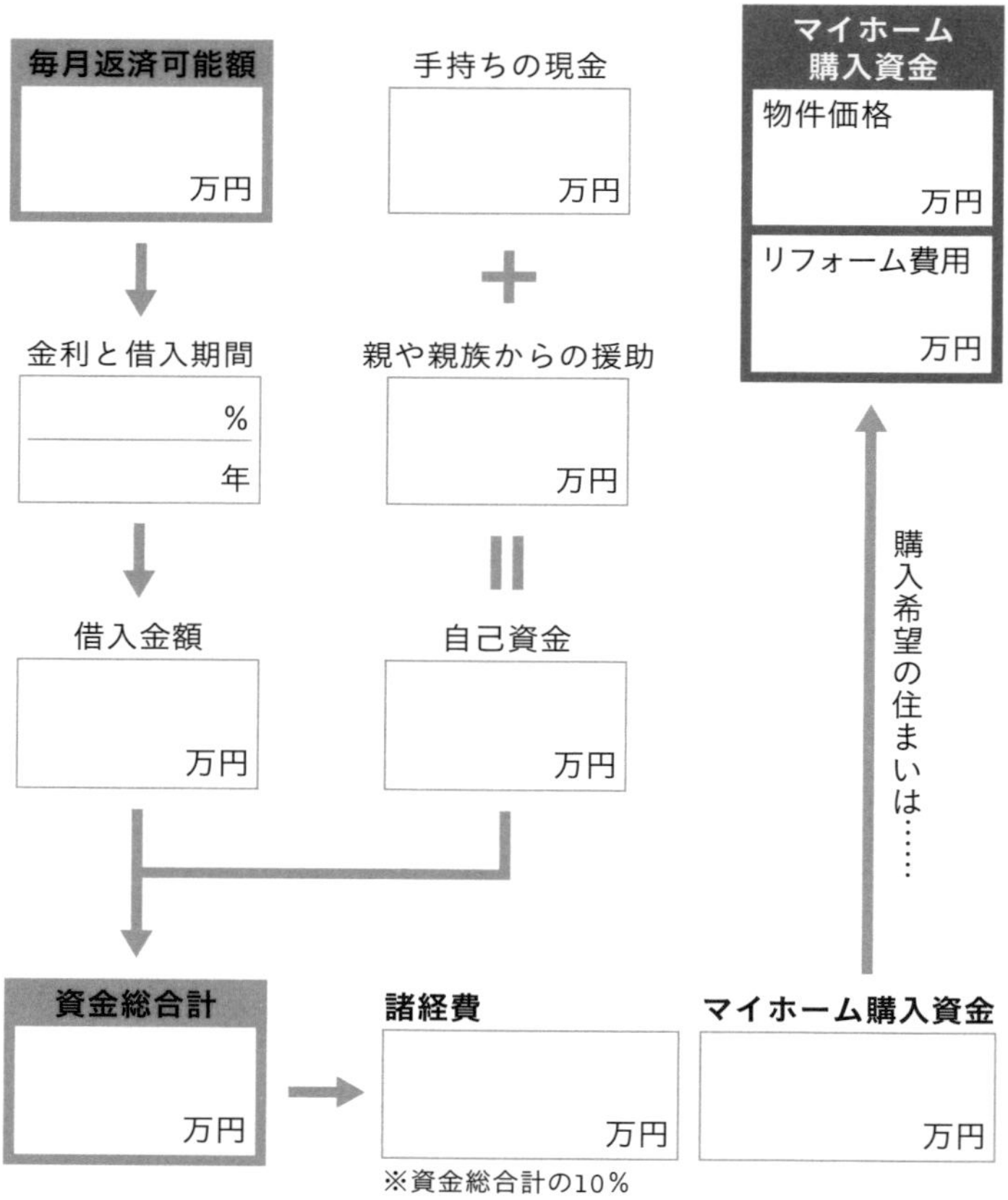

次に、金利と借入期間から借入金額を算出します（ここは不動産会社の営業マンに聞いてみると簡単にわかります。ローン電卓やスマホのアプリを使えば、自分でも出すことができます）。

例：毎月の返済可能額8万円。金利1％。35年ローン。借入金額約2830万円。

手持ちの現金や親や親族からの援助などの自己資金に、借入金額2830万円を加え、資金総合計に記入します。

例：自己資金が100万円の場合、資金総合計は2930万円。

資金総合計から諸経費（物件価格の10％程度）を引くと、マイホーム購入資金が出てきます。

例：2930万円－290万円＝2640万円。これがマイホーム購入資金。

次に、マイホーム購入資金からリフォーム費用をあらかじめ引きます。戸建ての場合は平均で300万～1000万円。マンションの場合は200万～700万円程度が中心です。築年数や物件によって差が出るので、ここではとりあえず戸建て500万円で入れてみましょう。

例：戸建ての場合、2640万円－500万円＝2140万円。

この2140万円が、あなたの物件を探す基準金額となるのです。

大事な点は、**「先に諸経費とリフォームにかかる金額を引いて物件を探す」**ということです。

いきなり資金計画で出た2830万円程度の物件を探すと失敗します。

しかし、資金総合計の物件を買ってからリフォームを依頼しに来る人が本当に多いのが現状です。すると、後から資金がショートしてリフォームやカーテン・エアコンなどを買うことができなくなったり、手持ちで置いておくはずだった資金を使ってしまい、生活に余裕がなくなるというパターンになります。

基本の考えがわかっていれば、築年数が新しくてリフォームが200万円で済む物件なら2500万円まで買えますし、逆に、古めの物件を買って思いっきりリフォームして遊びたいという場合は、リフォーム費用を1000万円見積もって、1700万円ぐらいの物件を探すようにすればいいということになります。

次の段階は、次ページ図⑪のような資金計画書を不動産会社と一緒につくることです。大事な確認事項は、リフォームの費用です。ここではリフォームを概算費用で出していますが、時間がある場合はより正確なリフォームの見積書を出してもらいましょう。もうひとつの大事な確認事項は諸経費です。おおよそ物件の10%と前述しましたが、ここできちんと内訳ごとに出してもらいましょう。

本項では、大事な予算についてお話しました。自分が理解して、そしてきっちりとプロに見積もってもらって、確認する。資金的な失敗をなくせば、不動産購入は一気に成功に近づくことになるでしょう。

返　済　方　法								
		借入額	金利	返済期間	毎月返済分（元金）	ボーナス返済分（元金）	月々返済額	ボーナス返済額
住宅ローン	変動・固定							
諸費用ローン	変動・固定							

返済合計	

管理費／月		修繕積立金／月		駐車場／月	

月々返済額合計	

	項目	金額
諸経費概算	収入印紙代金	
	固定資産税・都市計画税（日割）	
	管理費・修繕積立金等（日割）	
	住宅ローン事務手数料	
	住宅ローン保証料	
	火災保険料	
	事務取扱手数料	
	適合証明取得費用	
	登記費用（移転・保存・設定）	
	登記費用（表示）	
	仲介手数料	
	公共料金負担金	
	団信生命保険料	
	その他①（　　　　　　　　　　）	
	その他②（　　　　　　　　　　）	
	合計	

図⑪　**資金計画書**

物件	所　在		
	マンション名		号室

資金計画	物件価格		自己資金	
	リフォーム費用		親援助	
	諸経費		借入金額	
	総額		総額	

	リフォーム 項目	金額（税抜）	税込金額（10％）
リフォーム費用概算	水まわり4点パック（プレミアム・ハイグレード・スタンダード）		
	内装間取り変更		
	内装クロス貼り替え		
	床フローリング		
	外壁・屋根工事		
	外塀・エクステリア工事		
	給湯器・エコキュート等熱源機		
	照明・電気工事・エアコン		
	カーテン・エコカラット・グレードUP		
	合計		
備考			

10 中古住宅には消費税はかからない？手数料はいくらいるの？

意外と知られていないのが、不動産と消費税の関係です。

実は、**個人間の中古住宅の売買には消費税はかかりません**。

不動産は、基本的に土地には消費税はかかりません。建物には本来消費税がかかるのですが、中古住宅で個人間の売買の場合は、建物と土地の合計価格にも消費税はかかりません。中古マンションも同じです。

ただし、**売主が不動産業者の場合は建物に消費税がかかります**。しかし、中古物件の情報では、物件金額の中に内税で表記されているのが一般的です。

土地を買って、新築住宅を建てる場合は、建物価格に消費税がかかります。また、新築分譲住宅の場合も業者が売主ですので、建物価格に消費税がかかります。

住宅購入は高額なので、消費税も大きくなります。実際に10％の消費税の負担は大きいです。将来もし、さらに上がるとすれば、負担はもっと大きくなりますね。

建物価格が2000万円の場合は、10％で200万円もの消費税を払うことになります。消費税が上がるとますます中古物件に人気が集まるようになるかもしれません。

不動産の仲介手数料については基本的に成功報酬です。

ですから、物件を案内してもらっても、資金計画をしてもらっても無料です。金額はほぼどこで買っても変わりません。宅建業法で定められた上限額が一般的です。

計算方法は、速算法でこう計算してください。

売買価格×3％＋6万円＋消費税（物件金額が400万円を超える場合）

不動産会社が出してくれる資金計画の中には、基本的にこの仲介手数料は入っていますが、予算に組み込んでおくことを忘れないようにしましょう。

支払うタイミングは契約時に半金、決済時（引き渡し時）に半金が一般的です。

ちなみに、「当社が売主のため、仲介手数料不要！」と書いてある物件があります。「これはお得！」と感じる人もいると思いますが、この場合は**仲介ではなく売主なので、業者が売却価格を決めています。つまり当然、すでに売却価格の中に利益をしっかり乗せているということです。**

仲介物件の場合は、不動産会社が価格を乗せて売ることはありません。あくまで売主さん個人が価格を決める立場にあり、不動産業者は成功報酬ですから、相場より高い価格で売ることはあまりすすめません。やはり相場の価格で実際の取引がされることがほとんどなのです。

手数料に惑わされて、変な物件をつかまないように知っておきましょう。

3章

「中古でいい」から「中古がいい」に変わる!中古住宅で楽しくリノベーション

新築以上の個性が光る
自分だけのマイホームにする
メリット

1 「古い」「汚い」はリフォームで解決できる

「新築住宅と中古住宅、どちらがいい？」

このように聞かれたら、ほとんどの人は「新築住宅」と答えるでしょう。ではこう聞かれたらいかがでしょうか。

「3500万円の新築建売住宅と、2500万円の中古住宅に好みのリノベーションをして、内装も設備もすべて新品の中古注文住宅、どっちがいい？」

「駅から遠い人気のないエリアだけど2800万円で買える新築住宅と、同じ2800万円だけど、駅から近くて人気エリアで新築より広い中古＋リノベーション住宅、どっちがいい？」

こうなると結構悩みませんか？　**プロが不動産を買う時に重要視するのは、「立地」や**

「大きさ」「道路との関係」「エリア的な人気」などです。

なぜなら、「古い」「汚い」はリフォームで解決できるからです。

しかし、一般の人の中古住宅購入に対する不安やマイナス要因のトップは、「設備が古い、汚い」「建物が古くて不安」「見た目が古くて嫌」というものです。

当然だと思います。なぜなら、物件を見に行った時にお客様が見るのは、リフォーム前の汚れたキッチンや浴室、トイレ、傷ついたフローリングなどですから。

リフォーム後のきれいになった家をイメージするのは難しいでしょう。

でも安心してください。きっちりとリフォーム、リノベーションすれば、中古住宅も見違えるような素敵な住まいに変身します。

なので、物件を見に行った時は、もっと大事で変えられない部分を確認する必要があります。

自分で確認できることとして、**家や土地の大きさ、向き、形、利便性、通勤や買い物な**

ど家族に合うかどうか、そして全体の雰囲気や目で見て受けるイメージです。

そして、**プロに構造的なことや、雨漏り、歪み、床下の状態や、その他不備がないか、そして希望の形にリフォームが可能かどうかなどを見てもらう**必要があります。

よって、インスペクション（住宅診断）できる人や建築のわかる人と一緒に物件を見に行くことが大切です。

買い方のコツは次章で説明するので、ここでは、「『古い』『汚い』はリフォームで新品にできる」ということを覚えてください。自分好みの素敵な空間をつくるリフォームを楽しみにしてください。

ここで、「リフォーム」と「リノベーション」の意味の違いをお伝えしておきます。「リフォーム」は「古くなった設備や内外装を新しくすること」、つまり「原状回復」のことです。一方、「リノベーション」は「建物に性能を上げたり、価値を高めたりする工事を施すこと」です。もちろん「リフォーム」にも好みの設備にしたり、機能をアップすることも含みます。「リノベーション」は一般的に、室内をスケルトンにしての「フルリフォーム」を指すことが多いイメージです。

言葉の使い分けは曖昧な部分もありますが、本書では「自分好みの家にする＝価値を上げる」という意味で、タイトルには「リノベーション」を使いました。本文中は読みやすさを優先しています。

2 建売の設備はしょぼい？ 住む側の人が選ぶからいい設備が入る

住まいの中でこだわりたい設備機器といえば、やはりキッチン、お風呂、トイレ、洗面所ですよね。なぜかというと、毎日毎日、何回も使うからです。

ここには少しこだわって、いい設備を選びたいという方が多いです。

そして、実は**「新築の分譲住宅」より「中古住宅＋リノベーション」のほうが相対的にいい設備機器が入っている事実がある**のです。

それには明確な理由があります。**「売る側の人が選ぶか、買う側の人が選ぶか」**という違いがあるからです。

決して悪気があるわけではありませんが、売る側の人が選ぶ心理はこうです。

● どんな年代のどんな好みの人が買うかわからないので無難なものにしよう

● 売値に影響するので、できるだけ安いものにしよう

● 機能は使わないとわからないから、見た目重視の安いものにしよう

では、買う側の心理はどうでしょう。

● 毎日使うものだから、機能性や掃除のしやすさにこだわりたい

● ほかの場所を少々我慢しても、自分のこだわりたい設備（キッチンや浴室など）だけはよいものを入れたい

● 色やデザインを自分の好みにしたい

当然ですよね。これから何十年も自分と家族が住んでいく家ですから。

給湯器や照明器具、内装も床材も、これからリフォームをする人が選ぶと、好みの壁紙、好みのインテリアアクセント、間接照明など、個性を出してリフォームをすることができ

ます。

もちろん、「そんなの、いちいち選ぶのは面倒くさい」と、すべてのリフォームが済んでいる家のほうがいいと言う人もいるでしょう。それは、それでありです。

でもせっかくのマイホーム。設備の機能やインテリアの色・デザインを選ぶところから楽しみたいものです。すると、マイホームへの愛着も増すでしょう。

3 だから人気のリノベーション 自分好みに遊び放題

リフォームやリノベーションの種類は様々ですが、中古で物件が安くなった分、ローンにリフォーム・リノベーション費用を組み込んで、ちょっと遊び心のある改修・新設を楽しむことをおすすめします。

例えばテーマを決めて、白や木目を活かしたナチュラルなスタイルにしたり、原色を取り入れてイタリアンモダンなテーマなんていうのも面白いかもしれません。あるいは古さと新しさを融合させた和風モダンも人気です。

ではここで、おすすめのこだわりポイントをいくつか紹介します。

●照明にこだわる

玄関やリビングに間接照明を取り入れたり、主照明をやめて天井に埋め込み型のダウンライトを入れて空間を演出すると、すっきりとかっこいい雰囲気になります。

●素材にこだわる

健康的にもいい「エコカラット」(不快な湿気を吸収する壁材)をリビングや子ども部屋の一面に貼ったり、トイレや玄関にアクセントとして貼れば、見た目のグレードアップと同時に、消臭や湿気対策にもなるのでおすすめです。

●自慢ポイントをつくる

例えば、リビングの床材を踏み心地にこだわった上質のフローリングにする。自慢の自転車やギターを飾れるリビングにする。床暖房を入れたり、断熱にこだわった内窓を入れたりして暖かいマイホームにする。このように、リビングに友達が来た時に自慢できるポイントをつくることができます。

●外観を変える

外壁塗装や玄関、エントランスなどに費用をかけるのもおすすめです。特に外壁は雨の侵入を防ぐ大事な役目もありますし、見た目のイメージが変わるので、中古の古さを一新する役割も兼ねることができます。毎日仕事で疲れて帰ってきた時に、素敵な玄関が迎えてくれると癒される、と喜ばれる方も多いです。

いずれにしても、完成した住宅にそのまま住むのではなく、デザインや設備機器をはじめ、壁紙の色一つひとつまで、自分好みのものにできるのがリフォームの楽しみです。新築でも、注文住宅ならば同じことができるので、「中古住宅＋リノベーション」の家は「中古注文住宅」と呼ばれる場合もあります。
これが、「中古でいい」から「中古がいい」に変わる理由のひとつです。

4 ここが肝心。リフォーム予算の立て方とタイミングのカギ

中古住宅を賢く買うために、とても大事なコツがあります。これは、絶対に間違ってはいけないタイミングの話です。

それは、リフォームの予算を立てるタイミングです。

「リフォームの予算を立てるのは、購入の決断をする前」

これは必ず覚えておいてください。購入の決断を示す「買付証明書」（購入証明書）を提出する前です。つまり、契約の前ということになります。

私がリフォーム会社を経営していて、一番悔しくて残念に思うのが、このタイミングを間違って来られるお客様があまりに多いことです。

「中古住宅を買ったので、リフォームの見積もりをしてほしい」

というお客様が本当に多いのです。

これは、中古住宅購入では普通の流れです。しかし、**資金的に失敗する、中古住宅購入での一番多い失敗例です。**

通常、不動産会社から中古住宅を購入すると、次のようなことが起こります。

お客様：

「リフォーム代がいくらかかるか、わからないから不安です」

「リフォームの打ち合わせや見積もりをしてもらってから、購入の決断をしたいんです」

「建物の状態を知り合いに見てもらいたいのですが」

不動産営業マン：

「すぐ買付証明書を入れてもらわないと、物件がなくなりますよ」

「リフォームの見積もりは、契約してからゆっくり計算してください」
「リフォームは、だいたい200万ぐらいあったら大丈夫じゃないですか？」（高いと売れなくなるので、最低限の価格を適当に言うケースが多い）
「いい物件ほどすぐなくなります。そんな時間はないですよ！」

「いい物件ほどすぐなくなる」のは現実ですし、購入にはスピードが必要なのも嘘ではありません（ただし、人気がない物件でも同じこと言う営業マンもいます）。
では、なにが問題なのでしょうか。その理由は大きく3つあります。

❶先にリフォーム予算を立て、リフォーム代金も住宅ローンに一緒に入れたほうが金利も期間も有利になるから。
先に住宅だけのローンを組んでしまうと、後からリフォームローンが組めなくなることが多い。また、組めても金利が高くなり、期間も短い。

❷後から見積もりを取ると、本当にしたいリフォームの予算が足りなくなり、資金的に失

敗しやすい。手持ち資金の少ない若い人の失敗例が多い。

❸住宅購入後の見積もりで、建物の状態が悪かったり、希望の間取りに変更できないとわかっても、契約してしまっているから、取り消すのが難しい。

例えば、広いＬＤＫにしたかったのに、２×４の構造の家で、壁を取り除くことができなかった。床下を見るとシロアリにかなり土台を食べられていたり、腐食がすごかった。こうした素人ではわからない落とし穴が見つかる場合がある。

ここでひとつ実例をお話しします。

中古住宅を購入したＡさんに見積もり依頼をいただき、一緒に物件を見に行った時の会話です。

私（リフォーム業者）：「どんなリフォームがご希望ですか？」

Ａさん：「水まわりの設備は全部交換して、対面キッチンにしたいんです。内装のクロスも全部変えたくて。この和室を洋室にして、収納を増やしたいんです。イメージはナチュラルで、木目が優しい感じにしたいんです。それから、それと、これと（要望は続く）。あっ。予算は300万円ぐらい現金を残しているんですが、足りますかね？」

私：「まずは希望のリフォームの見積もりを出しますね。その前に、ひと通り建物を見せてもらったんですけど、バルコニーの防水が切れていますね。あと、外壁も近くで見ると結構ひび割れがありますね。対面キッチンにするにはサッシも入れ替えないと変な位置になってしまいます。防水や外壁、屋根塗装だけでおそらく150万円ぐらいはかかりますよ。サッシを入れ替えるとなると、ご希望のリフォーム全部は無理ですね」

Aさん：「えーっ！　キッチンやお風呂はいいものを選びたいのに……」

私：「ほかにも、エアコンと照明とカーテンや家具・家電にも結構かかりますよ。不動産取得税も忘れた頃に来ますし……」

Aさん：「ぎゃー。設備は古いままは絶対に嫌！　不動産屋さんは300万円もあればいけるって言ってたのに」

私：「どんな商品でどこまでを300万円って言っていましたか？」

Aさん：「具体的には聞いてないし、防水とか外壁はなにも言ってなかったです……」

私：「買う前に見せてくれれば、すぐにわかったのですが……。これらのリフォーム費用を住宅ローンに組み込むこともできたんですよ」

Aさん：「どうしよう。せっかくの夢のマイホームなのに、汚いままのお風呂は嫌。でも物件購入で資金も使ってしまったし。どうしよう」

このようなケースがたくさん起こっているのが現実です。

だからこそ、物件購入前の予算と打ち合わせがとても大事になります。しっかり覚えておいてください。

5 新耐震と旧耐震の違いを知る。安心を得るために大切な築年数での見分け方

中古物件を買う上で、知っておいてほしい建築基準法の耐震基準というものがあります。それは、日本独特の「地震」に関する基準です。ご存じのように、1995年の阪神・淡路大震災や2011年の東日本大震災、そして2016年の熊本地震など、日本は大きな地震を何度も経験しています。私も神戸に住んでいた時に阪神・淡路大震災で被災したひとりですし、大切な同僚を建物に潰されて亡くしたつらい経験があります。

ですから、見た目だけではわからない構造的な安心も、物件を選ぶ上で視野に入れていただきたいのです。

「建物を見ただけではわからない」

「不動産屋さんはアドバイスしてくれないの？」

と思われるでしょう。その通りです。見ただけではわかりません。ですから、本来は物件をすすめる不動産営業マンがアドバイスすべきですが、建築に詳しくない営業マンがたくさんいるのもまた事実ですし、建築士でも建築のプロでもありません。

もちろん建物の構造に精通した営業マンもいますので、そのような担当に当たった場合は大丈夫です。でもそうでない場合はやはり、自分で知っておくことが失敗しない秘訣になります。

ここで、簡単に目安を紹介するので、覚えておいてください。

まずは、建築基準法の変遷です。旧耐震基準から新耐震基準に変わっています（次ページ図⑫参考）。

●1981年6月1日「建築基準法新耐震基準」のターニングポイント

大幅な改正が行なわれたこの日以降の建築確認交付の物件は、「新耐震基準」と呼ばれています。

注意が必要なのは「完成日」や「竣工日」ではないということです。特にマンションな

図⑫　**耐震に関する基準の変遷**

基準年	1981年以前	1981〜2000年	2000年以降
主な地震	1968年 十勝沖地震 1978年 宮城県沖地震	1995年 阪神・淡路大地震	2005年 福岡県西方沖地震 2008年 岩手・宮城内陸地震 2011年 東日本大震災 2016年 熊本地震
規定など	●旧耐震基準 ●かすがい・平金物・無筋基礎が主流	●新耐震基準 ●基礎に鉄筋が入る。必要壁量の改正など	●新耐震基準をさらに強化 ●ベタ基礎・壁配置バランス・ホールダウン金物等
購入時のアドバイス	**【おすすめ度30%】** 旧耐震基準の住宅なので耐震診断・補強工事が必要。 補強工事には補助金が出ることも多いのでリフォームと同時に補強工事を。物件購入価格は安価なので、しっかり補強してリフォームすればお買い得物件になる場合もある。	**【おすすめ度70%】** 新耐震基準になり強度が増した。適合証明や瑕疵保険にも耐震性ありと判断される家が多い。ただし、現在の基準と比べると足りない部分がある場合があるので耐震診断をするのがおすすめ。 リフォームする場合は一緒に補強しておくと安心。	**【おすすめ度100%】** 現在の新築住宅と同様の規定で建てられているので、金物や壁量のバランスが考えられた住宅。雨水の浸入など劣化がないかは要確認。

※おすすめ度は、耐震、構造に関してのおすすめ度合いです。

どでは建築確認から完成までに1年や2年の工期がかかるので、物件資料に「築○○年」や「完成日」が書いてある場合には気をつけましょう。**1983年以降の物件であればまず大丈夫でしょう。**

●2000年6月1日「耐震基準強化」

木造住宅であれば、この日以降の物件がさらに安心です。1995年の阪神・淡路大震災を受け、2000年にさらに基準が強化されました。**地盤調査の義務化や耐力壁のバランス配置などが盛り込まれたので、現在の新築住宅とほぼ同じ基準で建てられている物件と考えて大丈夫です。**

では、1981年以前の物件は買ってはいけないのかというと、そうではありません。ただし、必ず買う時に耐震補強工事の予算も入れておいてほしいのです。

物件購入のローンに含めておけば資金的にも都合がつきやすいですし、リフォーム時に耐震補強工事をすれば、無駄がなくなり費用的にも安くできます。

また、自治体によっては、耐震診断、補強設計、補強工事の補助金が出る場合も多いので、調べてみて使える場合は利用しましょう（例えば、大阪府八尾市の場合、補強工事に約70万円程度の補助金が使えます）。

前記のように、建てられた年代によって耐震基準が変わるので、ここでもう一度整理してみます。

❶2000年6月以降の基準で建てられた住宅

安心して住めます。今の基準で壁量・バランスなどが考えられた住宅です。

❷1981～2000年5月までの基準で建てられた住宅

一応、新耐震基準で建てられた住宅です。耐震の適合証明や瑕疵保険なども耐震基準を合格とする住宅になります。

ただ、上下階の壁のバランスやホールダウン金物（引き抜け防止金物）などを確認しましょう。追加で付けておくと現在の基準に近づき、安心が増します。

❸1981年5月以前の基準で建てられた住宅

旧耐震住宅になるので、大地震が発生すると倒壊の恐れがあり、危険です。リフォーム時に耐震診断をして、補強工事をしておきましょう。

きちんと補強工事をすれば安心して住むことができます。予算を購入前に組んでおきましょう。

6 買う前に知らないとまずい工法の違い。こんな家にご注意！

中古住宅を買ってから、リフォームの相談に来られる方の中で意外と多いのが、構造や工法を知らずに物件を買って失敗するケースです。

新築時には問題にならなかった工法が、リフォーム時には大きく問題になる場合があります。特に多いのが、**間取りの自由度の問題**です。次のような事例がよく起こります。

● 対面キッチンにしたいのにできない

●リビングを広くしたいのに壁が取り除けない
●子ども部屋を広くしたい、または数を増やしたいのに間仕切りを動かせない

買う前にわかっていればいいのですが、買ってからリフォーム依頼に来られる方が、一緒に家を見に行って初めて知るパターンがかなり多いのです。

「対面キッチンにして、広いリビングで子どもを見ながら家事ができる空間をつくりたかったのに……」

このような要望を聞き、私達業者も叶えたいのは山々ですが、構造の安心をなくすわけにはいきませんので、できる範囲で知恵を絞るしかありません。

こうなってしまう場合の多くは、2×4工法の物件や軽量鉄骨でつくられているハウスメーカーの工法の物件です。

木造在来工法でももちろん、間取り変更のために壁や柱を動かせない場合もありますが、他の場所に壁をつくったり、補強したりすることで補える場合が結構あります。

ただ、壁で構造を支えている前述の工法は、そもそも柱がありません。

壁そのものが構造を構成しているので、大きく開口したり、動かしたりすることはまったくと言っていいほどできないのが現実です。

地震には強いこの工法は、新築時にはその家族に合わせて間取りを設計するので、快適に過ごせますが、中古で購入された家族がその間取りにピッタリはまるかといえばそうとは限りません。

なので、買う前にしっかりと調べることが大切です。そういった意味で、不動産営業マンではなく建築のわかる人とリフォームの打ち合わせをしておくことが成功の秘訣になります。

誤解のないように付け加えると、2×4や軽量鉄骨の家がNGなわけではありません。間取りが合えば、むしろ地震に強く、品質にも定評のある建物が多いので、安心して住めるいい住まいなので安心してください。

7 知っておけば役に立つ。住宅の構造・工法のメリット・デメリット

前項で工法による失敗例や注意点に触れました。ここで、もう少し各工法のメリットやデメリットを確認しておきましょう。最低限、この程度知っておけば購入時に役立ちます。

【木造軸組工法（一般的な在来工法）】

日本で建てられてきた伝統的な工法で、今でも約7〜8割は、この工法の住宅が建っていると思っていいでしょう。

メリット

- 日本の気候風土に合っている
- 間取りや屋根形状、外壁材料など設計の自由度が高い
- リフォーム時にも自由度が高い

デメリット

- 柱のない大空間などはつくりにくい
- 工務店や大工さんによって、仕上がりや耐久性に差が出る場合もある

【2×4（ツーバイフォー）工法】

北米から伝わってきた工法です。材料寸法などが規格化された合理性があり、壁で建物を支える構造（枠組壁工法）になっています。

メリット

- 在来工法に比べて耐震性能が高い
- 標準化された工法で品質が安定しやすい

デメリット

- 構造体が壁のため、間取り等の制約が多い
- リフォーム時に壁が動かせない等自由度が低い

【軽量鉄骨造（ハウスメーカーなど）】

柱や梁などの構造体を鋼材で構成し、工業製品で大量生産を可能にした工法です。積水ハウスやダイワハウスなどに代表される工法です。

メリット

- 工業化することで、品質が安定し、大量に供給ができる
- 耐震性が高い

デメリット

- 規格化されているので、自由なデザインに対応しにくい
- リフォーム時も間取り変更や使う材料等に制約が入り、自由度が減る

【重量鉄骨ラーメン構造】

3階建など、都会での狭小地などでよく採用されています。厚さが6ミリ以上の鉄骨を使用しています。

メリット

- 狭い敷地でも施工が可能で、密集市街地で有効な工法

- 大空間をつくることが可能で、間取りの自由度が高い
- リフォーム時も制約が少なく自由度が高い

デメリット

- コストが割高
- 建物が重くなるので、基礎部分を強固にする必要がある

大まかな説明になりましたが、基本を知っておくと間取り変更などで失敗しにくくなりますので、買う前に構造についても確認しておきましょう。

8 中古住宅購入時にリフォームする場所人気ランキング

中古住宅購入時にリフォームする場所の人気ランキングをお伝えします。知っておくと物件の内覧時に注意して見ることができるでしょう。

1位　浴室
2位　洗面所、トイレ
3位　キッチン、ダイニング
4位　外壁、屋根、それらの防水
5位　リビング、居間
6位　玄関、廊下
7位　子ども部屋、寝室などの内装
8位　エントランス、外構まわり
9位　断熱、床暖房等
10位　耐震補強などの構造補強
11位　照明や仕上げ材などの付加価値工事
12位　シロアリ・害虫駆除工事

やはり水まわりの工事は人気リフォームになります。当然ですよね。水まわりは設備の機能が毎日の暮らしに直結していますし、直接肌に触れることも多いので、新しいものにして快適にしたいという希望が多いです。

そして、内装のクロスや収納などは目につきやすいところなので、見落とすことはあまりありません。購入者自身が判断できます。

気をつけてほしいのは、まず「外壁、屋根、それらの防水」工事です。

住宅にとって外部から「水を入れない」ということは、建物を長持ちさせる一番の重要事項だと思います。

外壁などは、よっぽど汚れていないと見落としやすい場所になります。一見きれいなように見えても築10年を過ぎたあたりから劣化がはじまっています。よく見ると壁にクラックと呼ばれるひび割れが入っていたり、パネル外壁の目地が劣化していたりします。

屋根も同じく、色が抜けて白っぽくなっていたり、瓦の場合は漆喰が落ちていたりする場合があります。

バルコニーの防水も大事です。特にドレンと呼ばれる排水口まわりや壁や床にひび割れなどがないか確認が必要ですし、床下も構造を保つのに重要です。

また、結露跡などがある場合は内窓を入れたり、断熱することも検討してみましょう。

これらの工事は金額も大きくなりやすい部分ですし、自分で判断するのは難しい場所になるので、見落としやすくなってしまいます。

ですが、むしろ内装より重要な部分でもあるので、インスペクション（住宅診断）などが必要な理由でもあります。物件が気に入ったら、買う前に専門家と一緒に見て、打ち合わせをするようにしましょう。

また、玄関やエントランスも思い切って新しくすると、満足度が高いリフォームになります。外壁や玄関などが新しくなると、第一印象の見た目にもかっこいい住宅になるので、おすすめです。

9 リフォームのスタイルを決めるとおしゃれに決まる

中古住宅を買ってリフォームする場合は、フルリフォームになることも多いですし、金利の安いローンに組み込めるので費用もかけられる場合が多くなります。

そこで、**リフォームのテーマを自分好みのスタイルに決めてしまうと商品選びが楽になります。**

次ページ図⑬「リフォームスタイル別カタログ」のように、私はお客様が決めやすいように、いくつかのスタイル別のオプションパックを用意しています。

「シンプルモダンが好き」というように好きなスタイルを選びましょう。

リフォーム業者に選べるようなカタログなどがない場合は、雑誌やインターネットから集めた写真を渡しておくと、担当者もイメージしやすくなると思います。

図⑬ 「リフォームスタイル別カタログ」の例

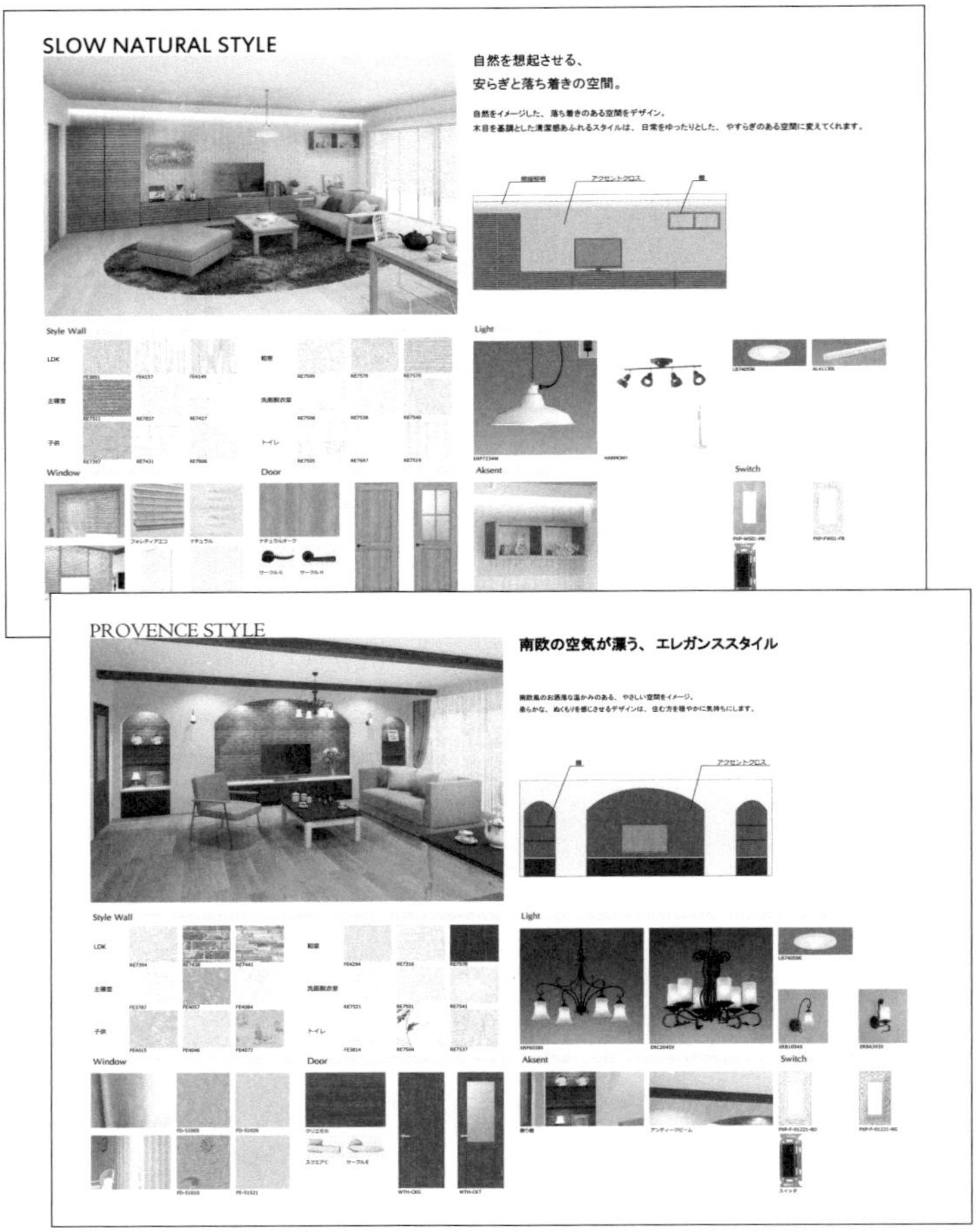

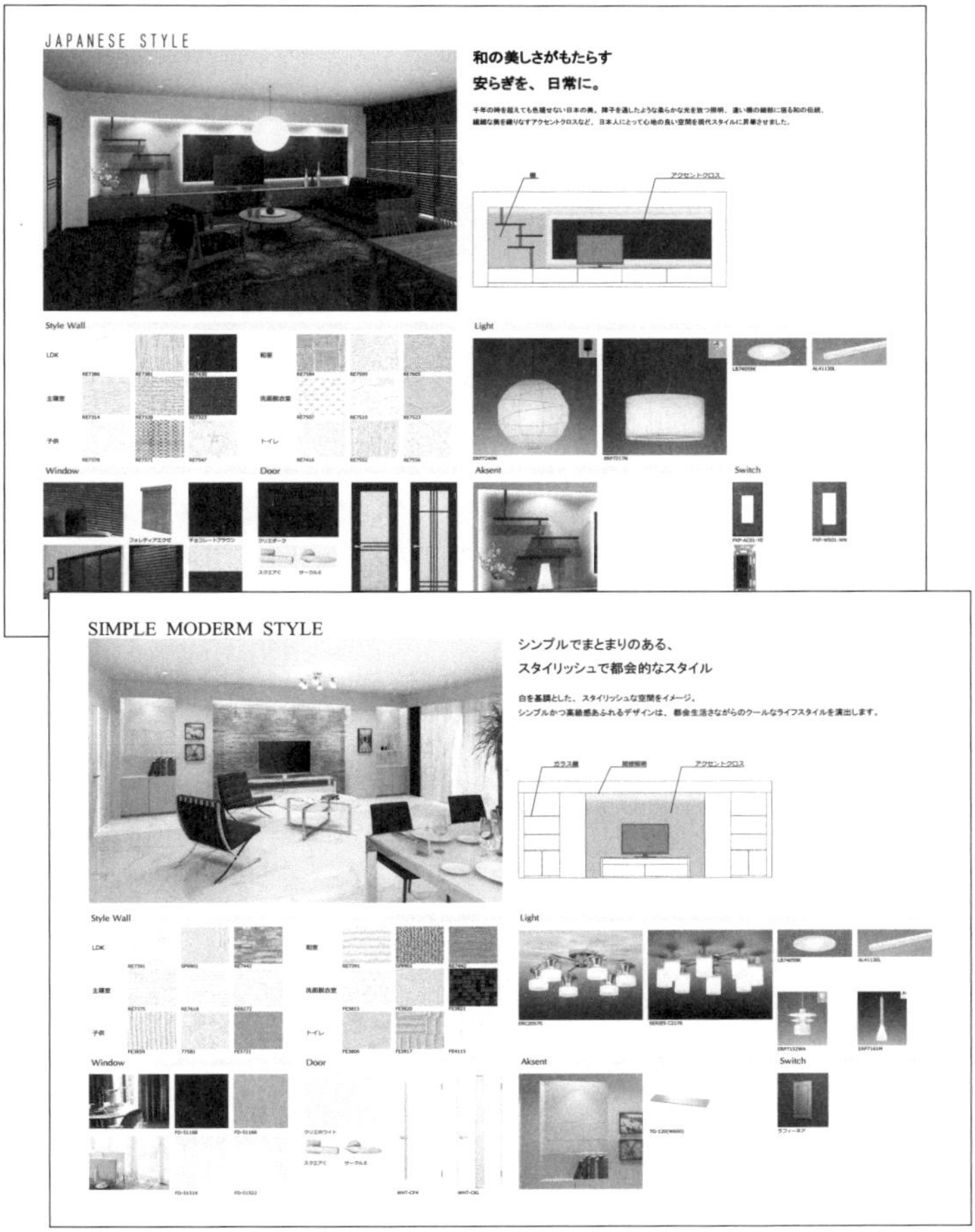
JAPANESE STYLE
和の美しさがもたらす
安らぎを、日常に。
千年の時を超えても色褪せない日本の美。障子を通したような柔らかな光を放つ照明、違い棚の細部に宿る和の伝統、繊細な美を織りなすアクセントクロスなど、日本人にとって心地の良い空間を現代スタイルに昇華させました。
アクセントクロス
Style Wall
Light
Window
Door
Aksent
Switch
SIMPLE MODERM STYLE
シンプルでまとまりのある、
スタイリッシュで都会的なスタイル
白を基調とした、スタイリッシュな空間をイメージ。
シンプルかつ高級感あふれるデザインは、都会生活さながらのクールなライフスタイルを演出します。
ガラス扉
アクセントクロス
Style Wall
Light
Window
Door
Aksent
Switch

当たり前ですが、リフォーム費用はこだわればこだわるほど高くなっていきます。なので、費用をかけるところと抑えるところのメリハリが必要です。

実際にお客様の満足度の高い、おすすめリフォームとして、次のようなものがあります。

●リビングの床材を無垢の質感のフローリングにする
●テレビ設置面や玄関などにエコカラット（湿気を吸う壁材）を貼る
●間接照明を入れて、光の空間をつくる
●モザイクタイルを使い、キッチンやリビングを楽しくする
●壁や仕切りにガラスブロックを入れたり、壁をくり抜いて小さな飾り棚（ニッチ）を使って演出する
●アクセントクロスを使って壁で楽しく遊んでみる
●専用の飾り棚をつくって、趣味のコレクションを魅せる演出をする

友達や親戚が来た時に、「素敵だね！」と言われることが多いと、ますます家での生活

は楽しくなり満足度が上がります。

「新築じゃなくて中古でもいいね」「私も中古リノベにしたい！」なんていうセリフを聞くことができたら、住宅購入成功と言えるかもしれません。

10 コロナ禍で変化が加速！新築から中古リノベに

新型コロナウイルスの影響は様々なところに出ていますが、住宅購入にも影響はたくさん出ています。そのひとつが「新築から中古リノベに」という動きが加速したことです。**東京都心のマンションの成約戸数は、今では中古マンションのほうが新築を上回っている**ことがデータではっきりと出てきました。

中古リノベについては、本書でもその面白さと資産性を語ってきましたが、国の後押しや新築マンションの価格上昇もあり、実際の購入者の年収と価格のバランスの見直しなどから、中古リノベの価値が見直されてきました。

さらにはリモートワークやオンラインでの授業などが増え、書斎や個室がないと集中できないという問題が出てきました。これにより、「狭いマンションや戸建て」から「少しでも広いマンションや戸建て」物件への需要が高まりました。

購入価格が同じなら「新築から中古リノベ」にしたり、「都心から郊外へ」と視点を変えることで広い物件を確保して、長くなった家にいる時間を、家族とプライベートを分けながら楽しく暮らせるようにしていきたいというのは、これからの環境を考えると当然の流れなのかもしれません。

一方、「都心の便利なところで住みたい！」「少し郊外へ行っても便利な場所や人気のエリアに住みたい！」というのは不変の需要だと思います。本書でも資産性を考えるなら、「売れる物件」「貸せる物件」にしましょうと言っているように、便利な場所、人気のあるエリア、校区のいいエリア、環境のいいエリアの物件を買うべきだということはコロナの時代になっても、未来に向かって変わらない価値だと思います。つまりは「中古リノベ」の価値はこれからもっと上がっていくのではないでしょうか。

4章

賢い「中古住宅+リノベーションのワンストップ購入術」はコツが必要

成功する住宅購入の
新スタンダード

1 まずは賢いワンストップ購入の流れを知っておく

いよいよ実際の購入に向かっての流れを、フローチャートで見ていきましょう（127ページ図⑭）。

まず知っておいていただきたいのは、この図は一般の不動産会社の購入の手順とはかなり違いがあるという点です。一般の不動産会社では、アンケートを書いて、希望を聞かれると、すぐに物件の話に入っていきます。早いところだと、その日のうちに「いい物件がありますよ。見に行きましょう」となる場合もあるでしょう。

私も不動産営業をはじめた頃はそれが当たり前だと思っていました。とにかくお客様の希望のエリアや希望校区、希望の価格帯の物件を必死に探して、気に入ってもらえるようにその物件のよいところを伝える、という営業スタイルをしていたのです。

ここで、「物件探しからはじめると失敗する」と前述したことを思い出してください。**慎重になってほしいのは、不動産会社の担当者、つまりパートナー選びと本当に自分に合った資金計画です。**

フローチャートの①、まず本書で勉強したら、不動産会社に行った時、相談をしながら「誠実に対応してくれているか」「自社都合の売り込みが強そうか」などを180ページ図⑰を参考にしながら質問をして見極めていきましょう。「誠実で信頼できる人」がやはり大事です。

そしてフローチャートの②で、資金計画を担当者と共有しましょう。あくまでも買える額（借りられる額）と、自分に合った物件の総額（理想の返済額・リフォームや諸経費も含めた金額）を一緒に見つけることが大事です。

しかし、現実にはお客様の希望価格帯や物件の相場で金額が決まっていってしまう傾向にあります。

例えば、現場ではよくこのような会話があります。

⑦ リフォーム打ち合わせ リフォーム代金確定

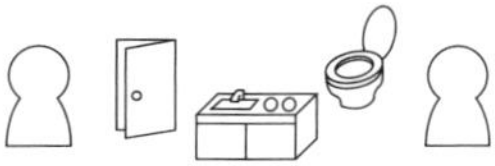

- 簡易リフォーム見積もりを元に、リフォームの詳細を打ち合わせ。リフォーム代金を確定させます。
- 必要な場合は、メーカーのショールームを見学し、実物に触れて商品を決定します。
- リフォームの請負契約を締結します。

➡

⑧ 住宅ローン本申込

- 住宅ローン本審査の申込。リフォームや諸経費も含めてローンを組むのか、自己資金をいくらぐらい利用するのかで内容が変わります。
- リフォームをローンに組み入れる場合は、見積もりと請負契約書が必要です。

⑨ 金銭消費貸借契約（金融機関と住宅ローンの契約）

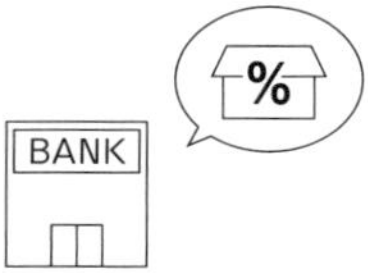

- 本審査後の「お金を借りる契約」です。通常は銀行営業日の平日に行ないます。

➡

⑩ 決済・引き渡し

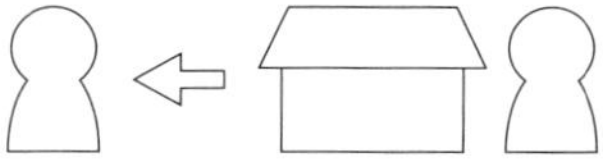

- 売主に売買代金残額を支払い、諸経費の支払いを行ないます。所有権が移る手続きをする日です。
- 火災保険は、引き渡し日からローンを組む期間の加入が必要です。

⑪ リフォーム開始

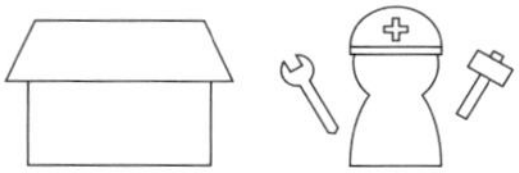

- リフォームは所有後に実施します。
- 賃貸物件に住んでいる場合は、引っ越し予定日が確定したら、1ヶ月前には解約手続きが必要です。

➡

⑫ 引っ越し・入居

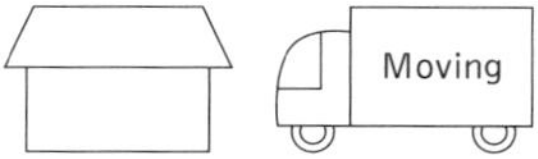

- いよいよ新生活スタート！

図⑭ 家探しから新しい生活をはじめるまで

① 賢い買い方や不動産のしくみを本やネット・セミナー等で勉強する

- 成功する不動産購入のために、絶対に知っておくべき購入の方法やコツを本やインターネットまたは「買い方セミナー」等で勉強しておく必須の準備段階です。最低限、本書をしっかり読みましょう！

② 不動産会社訪問 住宅ローン事前審査

- 実際に不動産会社を訪問し相談をします。質問シートを利用して信頼できるパートナーを見つけましょう。
- パートナーの見極めがとても重要です。
- 「資金計画」の一環として、住宅ローン事前審査を不動産会社を通じて金融機関に提出。

③ 物件内覧、簡易インスペクション

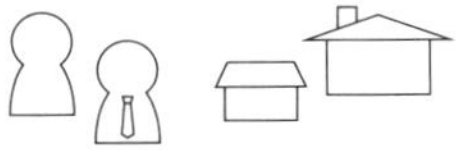

- 希望エリア内の物件をたくさん見て、実際の建物や土地、その相場をしっかり学びます。
- その上で、これから「したい暮らし」で一番優先したい(できる)のは何か、担当者と話し合います。
- 内覧時、目視で確認できる部分の簡易インスペクションをしてもらいましょう。または建築士を連れて行きます。

④ 簡易リフォーム見積もり 物件価格＋リフォーム代金の資金計算

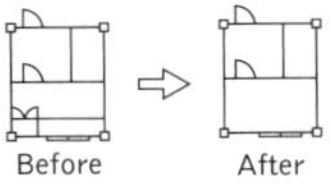

- 希望を元に簡易リフォームの提案・見積もりをもらいましょう。
- 物件価格＋リフォーム代金が資金的にオーバーしていないか資金計算。必ずローンにリフォーム代金も含めましょう。

⑤ 購入の申込（購入決断）

- よい物件を購入するための最大ポイント。それは、ほしい物件が現われた時に、素早く購入の申込（購入決断）ができるように、準備をしっかりしておくことです。

⑥ 重要事項説明・売買契約締結

- 宅地建物取引士による購入物件に関する重要な事項の説明。問題がなければ、売買契約の内容を確認し、契約締結します。
- リフォームが必要な場合は、売買契約締結後、リフォームの詳細を打ち合わせます。

営業マン：「おいくらぐらいの物件をお探しですか？」
お客様　：「うーん。３０００万円ぐらいまでの家ですかねぇ」
営業マン：「３０００万円ぐらいまででしたら、こんな物件はいかがでしょうか？　人気のエリアでいい間取りですよ」
お客様　：「でも場所がなぁ。校区がちょっと合わないですね」
営業マン：「では、こちらはどうですか？　学校にも近くなりますし」
お客様　：「うーん。最低でも30坪は土地がほしいんですよ」
営業マン：「でしたら、この物件なら土地も十分に付いていています」
お客様　：「あっ。駐車場はできれば2台分ないと」
営業マン：「なかなか合うのがないですねぇ……」

このような会話が繰り返されるパターンは本当によくあります。
では、その３０００万円の予算は、どんな根拠で出てきたのでしょう？
お客様は、どれほどの物件が、どのぐらいの価格で買えるかどうかわからないから、不動産会社を訪問して聞いているのに、いきなり「おいくらぐらいでお探しですか？」と聞かれてしまうのです。聞かれたものだから、なんとなくまわりの人が買った価格などに合わせて答えてしまう、という具合です。

本来なら、「わかりません」、もしくは「私の家族にはいくらぐらいの家が最適ですか？」と答えるのが正解かもしれません。

中古物件であればなおさら、リフォーム費用や手数料、登記の費用などの諸経費、引っ越しや税金などの費用も含めて総予算を考えなければなりません。

「ローンで組める費用＋自己資金」で物件を探してしまうと失敗する確率が高くなります。

そこで、まずは買い方を勉強する必要があるのです。もちろん本書を読んでいただくこともそのステップになります。本書を読んで大事な部分を理解し、後は不動産会社の担当者に質問しながら、進めることができますし、その担当者を信じていいのかどうかも判断できます。

不動産購入での一番の山場は、フローチャート⑤の購入の申込です。購入の判断をするのは、紛れもなく、あなた自身です。お客様本人が決断する必要があります。

でも考えてみてください。準備や情報がなくて決断ができますか？

不動産の現場では、物件を内覧したその日に、「買いますか？　今決断しないとこの物件だとなくなりますよ」と迫られることが多々あります。

「えーっ。今決めないといけないのですか？」とお客様が困っても、「お客様の年収でしたら、借り入れは十分できますから買えますよ。どうですか？」となおも迫られるのです。

残念ながらこれが現実の流れです。**返事を待ってもらっても、2、3日中には決断しないといけない場合が出てきます。しかも、人気があるいい物件が出た時ほどその傾向は強まります。**人気のない売れ残り物件だったら、時間をかけても大丈夫なのですが……。

だからこそ、**きちんと準備ができていないと、購入の判断を的確に、しかもスピーディーにはできないのです。**

その物件が適正な価格なのかどうか？

自分の条件で無理なく返済していけるのかどうか？

物件以外にどのくらいお金がいるのか？

もっといい物件が出るのではないだろうか？

建物や土地に不備や欠陥はないのだろうか？

この営業マンや会社を信じて本当にいいのだろうか？


たくさんクリアしなくてはならない疑問が出てきます。なぜなら、人生で一番大きな買い物と言えるほどの出費だからです。


だからこそ、もう一度断言します。

物件探しからはじめると失敗します。

賢い買い方を知っておくことと、自分に本当に合った価格帯がいくらなのかを前もって知っておくことが非常に大切なのです。

広い家や新しい家、豪華な家が、あなたにとって必ずしもいい家とは限りません。無理な計画で家を買って、その後の人生がローンに追われ、子どもにお金をかけられず、車や旅行など家族の楽しみが奪われてしまったら、どうでしょう？　お小遣いを減らされて夫婦ゲンカが増えたら、幸せでしょうか？

家を探し出すと、ついつい「家を買うこと」が目的になり、なんとなく麻痺してきて、「それぐらいだったら、何かを我慢したらローンを支払っていけるな」と思ってしまいがちです。しかし、本当の目的は「家を買うこと」ではなく、その「買った家で大切な家族と幸せなライフスタイルを実現すること」ではないでしょうか？

2 ローンの事前審査が、住宅購入をスムーズにする

準備が大切なことは前述しましたが、その中でも資金的な部分は特に大切です。

どこの不動産会社でも、物件購入の返済がいくらになるかは教えてくれます。そして、年収に対していくらぐらいまで借り入れができるかについても教えてくれます。

しかし、そこまでの場合が多いのです。

大事なことは「借りられる額」ではなくて、「無理なく返せる額」です。 自分のライフスタイルと年収や自己資金、今後子どもにかかる費用等も考えて資金計画を立てる手伝いをしてくれる業者を探しましょう。

そこで、**物件を素早く決断するための準備のひとつとして「ローンの事前審査」をしておくことをおすすめします。**

「事前審査」とは文字通り、金融機関で「いくら借りられるか？」や「金利は実際にいくらで借りられるか？」など、借り入れの条件を明確にするものです。

不動産会社を通じて無料でやってくれますし、「源泉徴収票」「免許証」（またはマイナンバーカード）「健康保険証」のコピーがあればいいので簡単です。

「事前審査」をするメリットは次の通りです。

❶資金計画を明確にする

❷買い付け（購入申込書）が決まりやすくなる

❸頭金や諸経費など、現金がない場合も借り入れでまかなえるか明確になる

❹まさかの借り入れ不可が事前にわかる（団体信用生命保険に引っかかる、勤続年数、ローン履歴、健康保険滞納など）

❺リフォーム代金も同金利で借り入れできるか明確になる

❻金融機関の事前審査の結果は他の不動産会社でも使える

❼事前審査した金融機関で借りなければならないということにはならないので、契約後他の金融機関と比べて有利なところで借り入れも可能

特に、不動産購入の山場である購入申込書を出す段階で、人気物件や市場に出たての物件の場合、購入希望が重なる場面がよくあります。

基本的に同額であれば購入申込書が届く先着順ですが、購入の申込者が「ローンの事前審査」を受けているか、これから受けるかであれば当然、「**借りられること**」**が決定して**

いる人が優先されることが多いのです。

これは売主の気持ちになればわかる話で、「まだ買えるかどうかわからない人」に売ることを決めてしまって、広告も取り下げた後、「ローンが組めませんでしたので買うのをやめます」と言われるのは避けたいですよね。

しかも、購入を決めてから審査に出しているような場合、「リフォームの金額は打ち合わせできているのか？」「後からリフォーム代の金利が高くなったり、諸経費分が借りられないなど、計画が狂わないか？」、そして何より、「お客様は急に買うことになって、本当はためらっていないか？」、私ならばこのように心配になってしまいます。

特に、**リフォーム代金や諸経費をどこまで住宅ローンと同じ低金利で貸してくれるか**は、金融機関によって条件が違うので、確認し、準備しておくほうが有利にことが運びやすいと思います。

購入申込をして、キャンセルしにくくなってから、資金的に予定外のことになって慌てないように事前に準備しておきましょう。

3 物件流通のしくみを知る。中古物件はどこの会社からでも買えることがメリット

●中古住宅の契約相手は紹介してくれた不動産会社である
●チラシやネットで見た中古物件は、そのチラシを出した会社から買わなければならない
●「売主につき手数料無料」と聞くと、得した気になる

実は、これらは全部、間違っています。このように勘違いされている方はとても多いです。

しかし、確かに不動産のしくみはわかりにくいですよね。これは、業者が売主の場合と、業者が仲介で入っている場合との違いがわかりにくいために起こることです。

売主が業者の場合（分譲住宅や買取再販物件）は、直接売主と買主が契約をする場合と、その間に仲介業者が入る場合があります。

中古住宅に絞ってお話すると、中古物件は買取再販のリフォーム済み物件以外は、基本的に売主は個人で、仲介物件なので同じ物件をどこの不動産会社からでも買えます。チラシに載っていたとしても、その会社から買う必要はないということです。同じ物件が複数の不動産会社のチラシやネット情報に載っているのを見たことがある方も少なくないでしょう。

しくみは次ページ図⑮の通りです。

売主Ｚさんが物件を売ろうとすると、不動産会社Ａ（売主側エージェント）に相談します。売却価格が決まると売りに出します。その際、「レインズ」と呼ばれる不動産取引情報のデータベースに登録する必要があります（諸条件あり）。

このデータベースは、不動産業者ならだれでも見ることができるので、買主側業者Ｂ社、Ｃ社、Ｄ社（訪問したり、閲覧したネットの不動産会社すべて）が新しく売りに出た物件を見て、「これは売れる」と思うと、自分の会社のチラシやホームページに載せるという

図⑮　**知っておこう「不動産仲介のしくみ」**

物件情報は、実は同じところから出ている

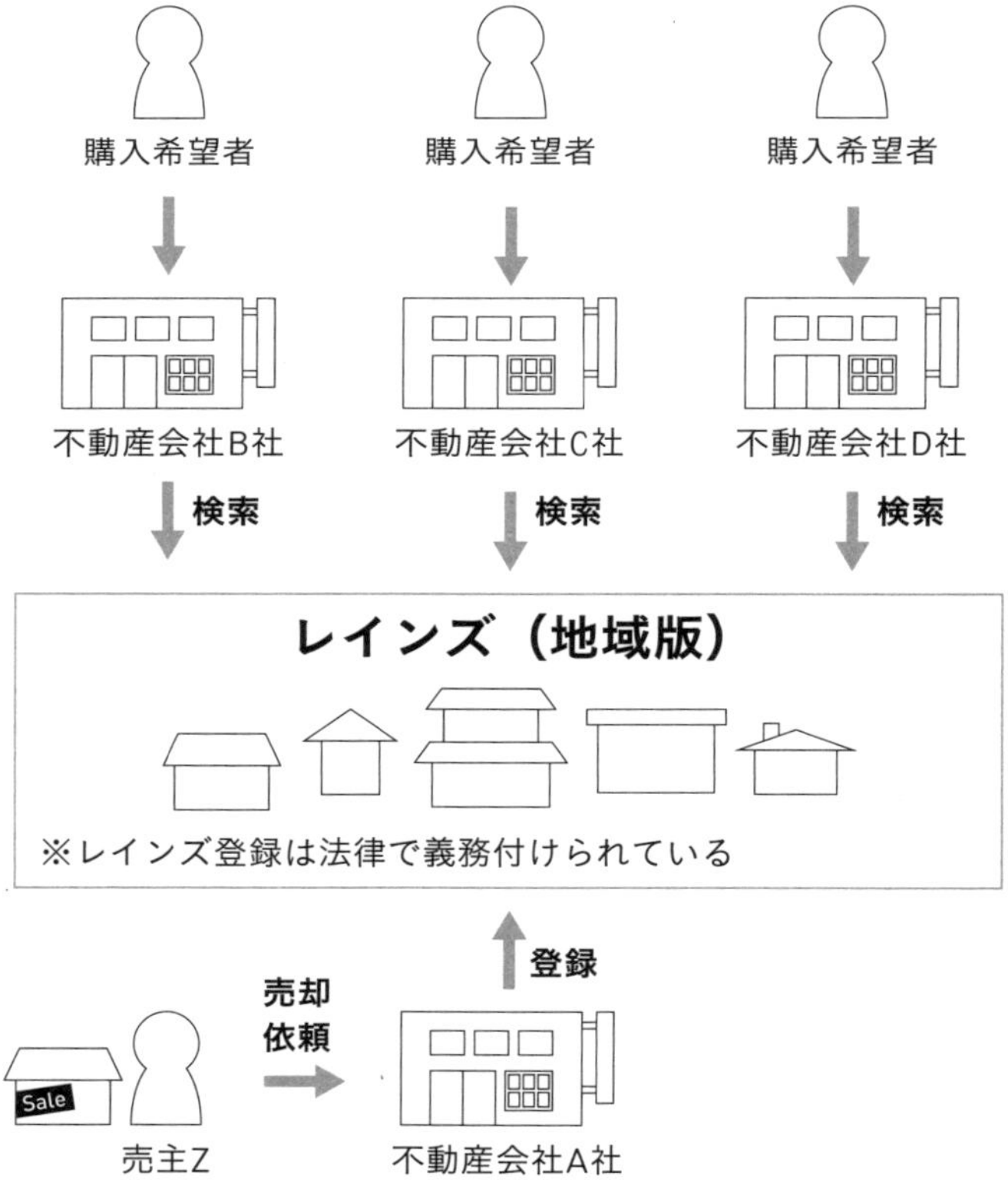

ポイント：**いくつも不動産会社を回る必要はない！**

流れになっているのです。

中古住宅流通のしくみをまとめてみると、

❶**買主は、物件を買う業者を選べます。自分に有利な、または親切で気が合う業者から買うことができます**（ただし、業界に暗黙の掟があり、先に違う業者が現地案内しているとトラブルになりやすいので、業者を選んでから、物件を見に行くようにしましょう）。

❷**契約相手は個人の売主です。不動産会社は仲介でエージェント（代理人）の存在になります。**価格は個人の売主が決定し、仲介業者はその売却価格の「上限3％＋6万円＋消費税」を仲介手数料として受け取ります。

❸**売主が販売業者と同じ場合は、仲介手数料はかかりません。**得したような気になりますが、その分販売価格に業者の利益が上乗せされているので、そうとも限りません。

中古住宅を買うメリットのひとつとして、自分で「どこから買うか、業者を選べる」ということがあります。自分にとって一番有利な業者を選ぶことが重要です。

4 不動産会社のペースに巻き込まれるな！

「物件探しからはじめると失敗する」と前述しました。

しかし、訪問した不動産会社がそう対応してくれるとは限りません。むしろ、ほとんどの不動産会社は、希望と条件だけを聞いて、物件探しにすぐ入るでしょう。それが慣習となっているからです。

なので、お客様側が先にしっかりとした準備と心の整理をしてから物件探しをすることを希望しても、不動産会社がそういう順序を踏んでくれるかはわかりません。

ではその業者はダメなのかといえば、一概にそうとは言えません。**担当者が親切で気が**

合う場合は、ある程度業者側の進め方に乗っていくのも、購入がうまくいく手段になる場合もあります。

そういった場合、物件の購入の決断（買付証明や購入申込書）を書くまでに、必ず次の事項の確認が必要だということを覚えておきましょう。

また、**これらの確認や質問事項に、しっかりと答えてくれたり、調べてくれるところならば、その業者に決めても大丈夫**という判断ができます。お客様側からの質問に面倒くさがったり、知識もなく調べようともしないのであれば、違う会社を探したほうがいいかもしれません。

これは、買う決断をしてからでは遅いです。

「今決めないと、物件がなくなりますよ」「とりあえず申し込んでおいて、契約までに考えましょう」と言われても、流されないようにしてください。

では、物件を検討する上で確認しておくべき事項です。

❶資金計画は完全ですか？　ローンの種類、金利などは理解していますか？

❷当初の返済予定額を超えていませんか？　諸経費も確認しましたか？

❸将来子どもにかかる学費や習い事の費用や、車や旅行などの余裕もみていますか？

❹建物の状態、不備などはプロが診断していますか？

❺リフォームや修繕にかかる費用の額は出ていますか？　商品グレードやイメージは共有できていますか？　プロと打ち合わせができていますか？

❻カーテンやエアコン、照明などの費用も予定していますか？

❼引っ越し費用や、時間が経ってから支払う不動産取得税なども予定していますか？

❽住んでからのアフターケアは安心できますか？

❾瑕疵保険やローン控除の利用の可否などは確認しましたか？

❿接道状況、違法建築かどうかなどは確認しましたか？

⓫物件の近隣、学校校区、生活施設は確認しましたか？

これらが主な確認事項です。特に資金的な面の確認が大切です。

物件を探しているうちに感覚が麻痺してきて、

「予算はだいぶ超えているけど、毎月のお小遣いを減らせばなんとかなるかも」

「返済はしんどそうだけど、これぐらい出さないといい物件はないものね」

「建物診断やリフォームの見積もりは出ていないけど、そんなにかからないだろう」

このようなセリフが出ていたら危険信号です。実際に、試算が甘く、後で泣きを見るというケースがとても多いので、しっかり見直してください。

5 これからは必須！インスペクション（住宅診断）の重要性

日本でもようやくインスペクション（住宅診断）の重要性が認められるようになってきました。むしろ、建物の状態や不備を確認しないまま中古物件を売るという、買い手に不利な条件で成り立っていたこれまでのしくみに驚きます。

一般の買主が物件を内覧するのにかける時間は、約30分程度。長くても1時間でしょう。床下チェックや外壁、防水、屋根裏などを自ら見る人はほぼいないと思います。見るのは内装、水まわりなどの設備がきれいかどうか、そして収納量や間取りといったところが普通です。

中古車を例にすると、パッと見たイメージや内装のみで買う決断をする。エンジンや事故歴、ホイールまわりなど、プロしかわからないところは確認しない。

それでも中古車の場合、ほとんどが何年かの保証が付いているので、もし乗って調子が悪ければ、直してもらうこともできるでしょう。

しかし、中古物件の場合、個人間売買となり「現状有姿渡し」と言って、瑕疵担保責任が免責になっていて保証が付きません（今は、自分で瑕疵担保責任保険をかけることができるようになりました。159ページ参照）。

これは、言い換えれば、「買う前に見に来たでしょ。その時、不備に気がつかなかったあなたのせいですよ。だから後から何を言われても知りません」という感じです。

「えっー！　そんなこと言われても素人がわかるわけがないじゃないですか！」

と言いたくなるでしょう。

日本の中古住宅流通が進んで来なかった理由のひとつがここにあります。

買主がとても不利だからです。

私は「買主に味方がいない」と言っていますが、本来買主側の不動産業者は買主が有利に買うために仲介手数料を取っているのですが、建物に対しての知識がないために、または売りたいがために、建物を診断しないのが一般的なのです。でも、これが現実です。

宅建業法の改正で、インスペクションの斡旋の有無が重要事項説明書に記載されることが決まりましたが（2018年4月施行）、インスペクションが義務になったわけではありません。

あくまで、「インスペクションしましたか？　しますか？　しないでいいですか？」と、契約の段階で聞かれるというだけのことです。

賢い買い方をするためには、簡単な「簡易インスペクション」（内覧時のリフォーム打ち合わせで、一緒に床下や外壁などをチェックしてもらう簡易診断）でもいいので、必ず建築のわかる人を内覧時に連れて行きましょう。

それでも心配な方は、多少費用がかかっても、しっかりとしたインスペクションをしてもらってから買いましょう。

宅建業法の改正で、ようやく国も動きました。これはいいニュースなのですが、あくまで「斡旋の有無」を記載するだけです。業界の慣習として、おそらくお客様がインスペクションに興味を示さない限り、一般の不動産会社は説明もさらっと風のように流してしまうところが多いと思います。契約書を目の前にしてインスペクションをしてほしくなっても言い出せないと思いますので、お気をつけください。

6 低金利の住宅ローンにリフォーム費用を組み込もう

今や住宅ローンは、実質金利1％を切る時代に入っています。1章でも説明しましたが、私が不動産営業をはじめた平成3年頃の住宅金融公庫の金利は5・5％でした。その後、4％台前半まで落ちた時には、「史上空前の低金利で買わなければ、いつ買うんですか？」というフレーズが販売マニュアルに載っていました。

超低金利時代の今、1章7項や8項を再度読んでいただくとわかりますが、返済額に対する金利と元本の割合が昔とまったく違いますよね。同じ金額を借りたにもかかわらず、総返済額は金利によって恐ろしく違うということがわかったと思います。

ですから、賢い「中古住宅＋リノベーション」購入では、その金利を上手に利用する必要があります。

その**安い金利に、「リフォーム代金も含めることができる」**ことをここで再確認しておいてください。そうです。1％前後の住宅ローン金利と同じ金利で、リフォーム費用もローンに組めるのです。

金融機関によりますが、諸経費もローンに入れることができますし、さらにはカーテンや照明、エアコンや家具、家電の費用なども一緒に組むことができる場合があります。もちろん、リフォーム工事の一部に入っていることが前提です。例えば、照明器具なら、ダウンライトや間接照明で空間を演出する場合、最初からリフォーム工事に入れておかないと後からはできません。また、エアコンの取り付けや、造り付けの家具などもリフォーム工事に入ります。

家中のエアコン、照明、カーテン、家具、家電など、節約してもやはり100万円単位でお金が必要になります。そこでローンを上手に使えば、素敵な空間が手に入るだけでなく、手持ちの現金を残せるというメリットもあるのです。購入後の生活に、ゆとりが出やすくなるので、ぜひ計画的にローンを組んでください。

7 不動産業とリフォーム業ではスピードにギャップがある

本書でおすすめしている「中古住宅＋リノベーション」のワンストップ購入。この購入方法、買主にとってベストな方法なのですが、ではなぜ多くの人はその方法を選ばないのでしょうか。

その答えの本質は、「わかっていてもできない」「業者が対応できていない」というのが正解でしょう。

そう。実は、簡単なようでとても高度で難しい方法なのです。

買う側にとっては、古い設備の入った中古物件を見せられて、「これがリフォームできれいになります」と言われてもイメージしにくいものです。それに、リフォームの価格を見積もるのも難しいですし、建物の不備もわかりにくい。

また、売る側にとっても、新築を見せたほうが最初からきれいですから説明も販売も簡単ですし、不備で後から責められる確率も極めて低い。何より中古物件を売るより高い手数料が取れる。

ですから、営業マンは正直、「できるだけ新しい物件」「できるだけ高い物件」を売りたいのが本音でしょう。それがお客様にとって無理のある物件でも買えるのであれば、すすめてくるのです。手数料商売ですから現実として、仕方がないのかもしれません。

しかし、買う側としては、そんな理由で買わされてはたまりませんよね。だから、買う側が賢くなる必要があるのです。

もうひとつ、「中古住宅＋リノベーション」のワンストップ購入を難しくしている理由として、**不動産業とリフォーム・建築業のスピード感のギャップ**があります。

リフォーム業では、お客様の希望に沿った**リフォーム工事の見積もりを出そうとすると、数百万円の複合工事であれば、1週間から10日ぐらいの時間がかかるのが普通です。**

キッチンのメーカーやコンロはどれにするとか、フードはこっちがいいなどの細かい希望をお客様から聞き、打ち合わせを数回繰り返して最終見積もりに近づきます。

一方、**不動産の世界ではその見積もりは物件を見に行った当日、もっと言うと、「今」欲しいんです。**その「リフォームにいくらかかるか？」がわからなくてはローンの額も決まりませんし、「買うという決断」をお客様ができないからです。

そして、時間をかければその物件は他の業者（他のお客）に取られてしまうことが多くなります。これは現実によく起こっています。人気のあるいい物件ほど早いのです。

しかし、実は私のお客様でも物件を内覧した日に購入の決定をしていただくことが結構ありますし、むしろ事前にそう説明しています。

どうやって決断を早くしているかというと、答えはやはり事前準備です。

❶まず、内覧当日に簡易な診断やリフォームの打ち合わせができる人を連れて行くことです。当日が無理なら、できるだけ早く一緒に見に行きましょう。

がキモです。

❷リフォームの見積もりは概算で算出してもらいます（概算費用は巻末付録参照）。ここ

そして、❷の概算の精度が大事です。**概算といえど、どんな商品を使って、どれぐらいの工事をするか、施工範囲を示しましょう。**

そうしないと、契約後にするリフォームの打ち合わせ前提が曖昧になり、資金的に相違が出たり、思ったようにリフォームできなくなったりします。

これは両者にとって非常に高度なことです。業者側からすると、お客様がどの程度のどんなイメージのリフォームを考えているかを読んで見積もりを出すことになるからです。高めに出しておけば、後で減額できるのでスムーズにいくのですが、しかし、高く出しすぎると物件自体を買えなくなることにつながります。

一方、物件を買ってもらおうと安めに最低限の価格で話を進めると、資金的に契約後に思ったイメージのリフォームができなくなってクレームになる場合もあるからです。

これを防ぐには事前に、**「どんなイメージのリフォームが希望か」「水まわりはどのランクのものを希望しているか」**など、すり合わせをしておく準備が大切です。私がリフォームの依頼を受けた時は、いつも先に希望イメージを雑誌やホームページなどの写真でもらっておくことが多いです。写真でもらっておけばイメージは共有しやすくなります。

カントリー調が好きなのか？　シンプルなデザインにしたいのか？　価格優先なのか？　何に一番こだわっているかを先に伝えておきましょう。

❸購入の契約後、物件の引き渡しまでは少なくても1ヶ月、もしくはそれ以上の時間があります。**ここでショールームに行ったり、細かいリフォームの打ち合わせをしましょう。そうして金額を明確にし、必要分だけローンを組む契約をします。**

ここでのコツは少しゆとりのある額をローンの事前審査で承認してもらっておいて、最終的には減額して金銭消費貸借契約（ローンを組む金融機関との契約）を結ぶことです。

なんだか難しい流れに感じるかもしれませんが、いい業者さんを選べば大丈夫です。しっかりリードしてくれるはずです。買う側がこれを理解していれば、失敗する確率がぐんと減りますので、住宅購入を決断する前に思い出してください。

8 中古住宅でローン控除を受ける裏技「瑕疵保険と適合証明」

「家を買うと国からもらえるボーナス」があるのを知っていますか？

しかも認定中古住宅で最大200万円。一般中古住宅にも最大140万円も控除で返ってくる税金があるんですよ。

「えっ!? なになに？　知りたい！」と思われましたか？

これが通称「**住宅ローン控除**」と言われる税金の制度です。

10年間（買取再販物件は13年）で最大200万円の控除。あくまで「最大」控除ですから、年末にローン残高の0・7％が戻ってくるしくみで、同じ額の借入れ額でも人によって控除の額は変わります。

2022年に改定があり、控除率が1％から0・7％に減りました。他にも基準が変わったので、詳細な規定は国税庁のホームページをご覧ください。ここで知っておきたいのは、次の3点です。

❶中古住宅の購入でもこのお得な仕組みを使うことができる
❷昭和57年以降の物件には使いやすくなった
❸昭和56年以前の規定を超えた物件でも利用できる裏技がある

意外と知られていないのが、中古住宅もこのローン控除が使えるという点です。ただし、基準や要件があります。

【新築と中古共通の要件】
●床面積が50平米以上、自ら居住すること
●完成または取得から6ヶ月以内に居住し、その年の12月31日まで継続して居住すること
●住宅ローンの借入期間が10年以上であること
●控除を受ける年の所得が2000万円以下であること（2022年の改正で引き下げら

れた)

【中古住宅特有の要件】

●昭和57年以降に建築された建物であること

昭和57年以降の建物であれば、以前のような耐震適合証明書は必要なく、登記簿上の建築年だけで適用証明ができ、手続きをする上でも楽になりました。

ちなみに以前は、耐火建築物(マンションなど)は築25年以内、耐火建築物以外(木造住宅など)は築20年以内に建築された住宅であることが規定されていたので、実際には使いにくかったのです。

2022年の改正は、中古住宅にとってはいい方向に向かっていると思いますので、積極的に活用しましょう。

では、目的の物件が築年数の要件を超える物件だったら、諦めないといけないのでしょうか。ちょっと待ってください。そんな時でも次の裏技が役に立ちます。

裏技と呼んでいますが、決してあやしい方法ではなく、しっかりと国税庁が出している要件に当てはまる正規の方法ですのでご安心ください。

裏技と呼ばれる所以は、不動産業者でも知識がなかったり、実際にどうすれば使えるのか実務がわからずお客様に伝わっていないケースが多いからです。

では、実際の方法です。

検討物件が1981年6月（新耐震基準）から現在の基準の建物の場合

❶既存住宅瑕疵保険に加入する
❷耐震基準適合証明書を取得する
❸住宅性能評価書（耐震等級1以上）を取得する

この3つの方法がありますが、結論から言うと❶の瑕疵保険に入る方法がおすすめです。

この既存住宅瑕疵保険に加入する場合も基準が甘いわけではなく、**現行の住宅基準を満たしている必要があり、建物の診断・検査を受け、合格するか、不備があった場合は修繕を行なった上でないと加入できません。**

これは中古物件を買う側にとっては非常に大事なことだと言えます。目的の物件が一定基準の条件を満たした住宅かどうか検査してくれますし、合格していれば安心できます。さらに5年の保険に入っていれば、雨漏りや構造などに問題が起こった場合も保険から費用が出るという保障も付いてきます。

もちろん、保険に加入するには検査料や保険料がかかります（住宅規模や保険会社によって違いますが、加入時に10万から20万円程度が多いです）。

仮に、築22年の戸建住宅を２８００万円の住宅ローンを使って買う場合で計算してみましょう。

Ａ：そのまま住宅ローン控除適用なし↓税金控除０円

Ｂ：瑕疵保険に加入して、住宅ローン控除利用↓保険加入20万円。住宅ローン控除利用10年分で約１４０万円の税額控除。なおかつ、住宅瑕疵保険が5年間付いてくる

瑕疵保険は、物件の引き渡しまでに加入するなど、タイミングと検査の知識等が必要ですので、不動産営業マン任せにせず、自分でも気をつけておきましょう。

検討物件が1981年5月以前の基準の建物の場合は、耐震工事が必須になってくるので、予算と時期の問題で注意が必要です。

9 上手に瑕疵保険に加入するための知識

住宅瑕疵保険についてもう少し掘り下げてお伝えします。

個人間売買の中古住宅購入時に入れる保険は、

- **既存住宅売買瑕疵保険**
- **既存住宅引き渡し後リフォーム瑕疵保険**

主にこの2種類があります。

何が違うのかを簡単に説明します。

「引き渡し」までに検査に合格しているか、引き渡し後にリフォームをして検査に合格する状態にするかの違いです。


売買瑕疵保険の場合は、「引き渡し前」（売主が所有している状態）に検査をしたり、不備があって合格しない場合は、修繕工事をして検査に合格する必要があります。

当然、買主からすれば、売主側で検査に合格するレベルの建物にしておいてもらい、それを購入するのが一番理想ですよね。でも、現在の日本の現実では、まだまだ瑕疵保険も必須ではなく、認知度も低いため、売主側で費用を負担する習慣がありません。

国もすすめているため、以前に比べれば少し広まってきていますが、国の基準が「引き渡し前に加入」となっているので、どうしても売主が所有している段階で検査や修繕をする必要があるのです。


売主側の心理とすれば、「検査で粗探しされて価格を叩かれるのではないか？」とか、

「売ってしまう家に、今からお金をかけて修理するのは嫌」という気持ちが働きます。
しかも、売主個人が「後からもめるのは嫌だし、きっちり見ておいてもらったほうがいい」という場合もあるのですが、売主側の不動産業者が嫌がるというケースが多いのも現状です。

このような現実を受け入れておすすめなのが次の手順です。かなり高度な工程になるのですが、できるだけ簡単に説明します。

❶まずは「売買瑕疵保険」に入れる状態かどうかを検討してもらう

インスペクション時に瑕疵保険の検査項目もある程度見てもらい、今の状態のままで瑕疵保険に入れそうかどうかのアドバイスをリフォーム業者にもらう。

❷そのまま入れそうであればＯＫ。瑕疵保険に加入

軽微な修繕工事をすれば入れそうなのであれば、買主負担で修繕工事をしてから瑕疵保険に加入する（雨水の浸入の疑いが一番引っかかりやすいので、壁のクラック補修やサッシまわりなどのシール工事をすれば入れる場合が多い。費用約5万～15万円程度)。

❸大きな改修をしなければ検査に合格しそうにない場合

「引き渡し後リフォーム瑕疵保険」に切り替えて、引き渡し後に買主名義になってからリフォームする時に一緒に修繕し、工事完了後、再検査にて合格して加入するようにする。

ここでの注意点は、この保険は引き渡しまでに申込申請をしていないと加入できないことです。必ずタイミングを逃さないように不動産業者に相談しましょう。

この手順は、実際に私がお客様におすすめしている手順であり、私自身が建築士として、また瑕疵保険の検査技術者として、たくさんの建物を診断し、保険加入してきた経験に基づくものです。なので、不動産営業マンがしくみをしっかり理解していなくても、お客様側が賢くなって、相談すれば必ず調べて対応してくれると思います。

ただし、❸の場合はもうひとつ注意が必要です。瑕疵保険には入れても、住宅ローン控除が使えなくなる場合があります。**住宅ローン控除を優先する場合は、耐震基準適合証明**

書取得に切り替えてください。国の税法が引き渡しまでの建物の状態を基準としているため、このような弊害が出てきます。

「買主側が修繕の費用を出すの？」と思われるかもしれませんが、現実にはこのケースがうまくいくことが多いです。

買主としては費用は少しかかりますが、住宅ローン控除が使えれば平均して２００万円程度の税額控除が受けられますし、何よりこれから長く住むに当たって安心も手に入れることができるのです。

売主としても、引き渡しまで、軽微な工事とはいえ、家に触られることを嫌がる方もいらっしゃいますが、費用を出さなくて済みますし、瑕疵保険に入れる状態で引き渡せば後々文句を言われることもなくなります。このメリットをきちんと理解してもらえば、拒否されることはないでしょう。少なくとも私の経験では過去にありません。

瑕疵保険について知っておくことは、賢く購入することにつながりますので、ぜひ勉強しておきましょう。

【瑕疵保険についての詳細はこちら】
ＪＩＯ　日本住宅保証検査機構　https://www.jio-kensa.co.jp/
ハウスジーメン　https://www.house-gmen.com/

10 親の援助に国は優しい。贈与の特例は使わないと損

「家の購入で一番の問題は？」と聞かれると、「資金」という方が多いでしょう。特に若い方々は自己資金を貯めるのはとても難しいと思います。もちろん金利が異常に安い今ですから、ローンを利用するのが得策です。でも、もしご両親などからの援助が期待できるなら、ありがたく、遠慮なく使わせていただきましょう。

国は、住宅購入のための親からの援助に対してはとても優しい制度をつくっています。通常、親から子へ資金が動いた場合は、「贈与税」という大きな税金がかかりますが、一定条件を満たす住宅購入のための贈与に関しては、特例で負担が少なくなっています。

普通、1年間にもらった財産の合計額が110万円を超えると、贈与税がかかります。しかし、住宅の購入、新築、増改築等のための資金を親や祖父母からもらう場合、消費税10％の物件なら一般住宅で500万円（一定の高性能住宅の場合1000万円）まで贈与税が0円になる贈与税の特例を利用できます。

この大きな恩恵を受けるには、一定の要件を満たす必要があります。詳しくは国税庁のホームページに載っていますが、主な要件として、次のものがあります。

❶50平米以上240平米以下の物件
❷中古住宅の場合、マンションなど耐火建築物の場合は築25年以内、木造などは築20年以内の住宅（築年数を超える住宅については、一定の書類により耐震基準に適合すると証明された住宅）

これらの要件を満たしていて、翌年3月15日までに入居するのであれば、ぜひ利用しましょう。

また、この制度はひとりだけでなく、どちらのご両親からでも、また祖父母からの贈与でも利用できます。援助していただける恵まれた環境の方はぜひ活用しましょう。ただし、税のことなので、必ず事前に詳しく調べるようにしてください。

11 買った後が一番長い。アフターサービスの重要性を知る

家探しをはじめると、「家を買うこと」が目的になってしまいやすいと前述しました。でも、もう一度考えてください。

家を探し出して購入するまでは、人にもよりますが、だいたいは3ヶ月〜半年くらいかかるでしょう。中には1年や2年も費やしている人がいますが、それは「賢い家の買い方」を知らず、準備ができていない状態で物件ばかりを見て回っている人がほとんどです。

一方、「購入までの長くて半年」に比べて、「買ってから」にはどれぐらいの期間があるでしょうか。アメリカならば平均7~8年ぐらいで買い替えるのが一般的ですが、日本の場合は20年以上がほとんど、一生その家で暮らすという人も少なくありません。

日本の多くの不動産会社は、「購入までの半年」については非常に親切で力を入れてくれる会社が多いのですが、ダントツに長い「買ってからの20年」にも力を入れてくれる会社がどれぐらいあるのでしょう。

期間の違いは歴然ですし、安心して暮らしていくにはアフターサービスが充実していて、ずっとお付き合いできるプロが近くにいるのは非常に大事なことです。

誤解があるといけませんので、一般的な不動産会社が不親切だから、家を買ってもらった人と付き合いたくないわけではありません。

これはしくみの問題です。例えば3年後、「トイレの水が止まらない」と、家を買った不動産会社に連絡しても、営業マンしかいない会社でしたら、対応できません。「当社に言われましても……」「どこか水道屋さんを探してください」となってしまうでしょう。

でも、**「中古住宅＋リノベーション」をワンストップで提供している会社であれば、メンテナンスに対応できるスタッフを抱えているか、または連携しているので、すぐに対応してもらえるはずです。**

こういう「住み出してからの『困った』」に対応できるアフターサービスを、しくみとして持っていることが、中古住宅販売業者にはとても大切です。

言い換えれば、家を建てた業者がその家のメンテナンスをしっかりするのが理想なのですが、建てた会社がわからない、知らない、言いたくないという場合がほとんどなので、リフォーム専門会社が必要になっているというのも現実です。

基本的に、仲介（販売）に関わった不動産会社が、その家のメンテナンスなどのアフターサービスをする義務はありません。ですが、安心できるアフターサービスがあるか？　またはしっかりとリフォーム会社と連携しているしくみがあるか？　これを見極めるのも賢い業者選びには必要なことです。

5章

さあ行動しよう!
物件探しと業者選びのコツのコツ

お客様が賢くなれば、
業者も賢く
対応するようになる

1 不動産会社を訪問する前に使う「不動産業者選びのタイプ別判断シート」

中古住宅選びは、不動産会社の選び方がかなり大きく影響します。いいパートナーを見つけることが成功への一番の近道とも断言できます。

では、どんな不動産会社へ行けばいいのでしょう。これは、地域にもよるので、本当は難しいところですが、ご参考にタイプ別の特徴をお話します。

図⑯に、おおまかな不動産会社の種類と、メリットやデメリットを並べてみました。

結論から言うと、**「中古住宅＋リノベーション」をワンストップで購入できるしくみのある会社で、実績のあるところがベストです。** しかし最近は、どの不動産会社でも「中古住宅とリフォームをワンストップで購入できますか?」と聞くと、「できます」と答えたり、看板に「リフォーム」と書いている会社も増えています。

図⑯ 不動産会社の種類 メリットとデメリット

おススメ度	不動産会社の種類	メリット	デメリット	アドバイス
×	**デベロッパー系不動産会社**	新築マンション・新築戸建てが中心なので、新築分譲などが得意	中古住宅の仲介には力が入っていない。または子会社などで扱っているケースが多い	中古住宅の仲介には適していない
△	**地域密着分譲系**	新築分譲戸建てが中心。予算と立地が合えばOK	自社の分譲住宅以外はすすめない	ローンが借りられれば、中古を否定し、強引に新築分譲住宅を購入させてしまう傾向に注意
○	**大手財閥系・電鉄系仲介会社**	中古住宅の売り物件情報が多い。会社が大きく信頼できる	リフォームとのワンストップが苦手。自社物を両手仲介にしたがる傾向も強い	物件情報は多いので、自分でリフォーム会社を連れていく形をとるのがおすすめ
○	**地域密着系仲介会社（新築・中古）**	地域に密着した物件情報を持っている。評判のいい会社に会えれば長く付き合っていける	当たり外れが大きい。その会社の社長の方針や担当者に恵まれないとうまく進まない	会社によって特性がかなり違うので、ホームページや訪問によって、好印象か？ 知識があるか？ を確認しよう
◎	**地域密着系仲介会社（中古ワンストップ専門）**	自社でワンストップができる。または提携してワンストップ対応ができるしくみを持っていて実績があれば安心して任せられる	新しいジャンルでもあるので、対応している会社が少ない。本当にその分野に強いか見た目では判断しにくい	質問を繰り返す中で、知識や考え方を探っていこう。他から物件情報を手に入れた場合も先に相談してみるとよい
×	**地場イケイケ系仲介会社**	普通は買えない資産状況などの人でもローンが組めたりする	業者都合でことが進むので、お客様に合わせた物件やワンストップを望むのは困難	外部からはわからないので要注意。強引さや業者都合の部分が見えたら即退散したほうが賢明

※地域や会社によって差がありますので参考程度にしてください。
※ホームページや広告を見て、または知り合いに聞いた上で実際に足を運び、最良のパートナーを探しましょう。

ですので、**面倒かもしれませんが、3社程度とつながっておくといいでしょう。**

質問を繰り返したり、物件情報をもらう中で、どこがパートナーとしてふさわしいか？　また担当者との相性もあるので、かかわる中でだれがパートナーとしてふさわしいかを見極めてください。

物件情報は、今は「スーモ」や「ホームズ」といった物件情報サイトに、たくさん、かつ早く出ているので、買う側もネットで知ることが可能です。

繰り返しますが、基本的に中古物件はどこの不動産会社からでも買えます。なので、物件情報を出している会社に必ず行かなければいけないということはありません。自分がいいと思った会社に、「こんな物件を見つけましたが、案内していただけますか？」と聞けば、調べてくれるはずです。

ただ、現実には宅建業法上、レインズ（不動産取引情報データベース）に載せなくていい期間があり、人気物件の場合、広告を出した会社しか案内させないという場合も多々あります。

国が定める流通のしくみがそうなっているので仕方がないのですが、財閥系や電鉄系の大手企業など、ワンストップで対応していない会社がほしい物件の売主側業者の場合は、自分でインスペクションやリフォームのできるパートナーを探さなければいけない場面も出るかもしれません。

そういった場合でも、「買ってからリフォームを考えたらどうですか?」「いい物件なので、すぐなくなりますよ」というセリフに惑わされることなく、冷静になり、判断を間違えないようにしましょう。

2 さあ、不動産会社に行こう！訪問前の準備を確認しよう

いよいよ不動産会社を訪問することにしましょう。この時点で、何を準備して行けばいい

いでしょうか。

まず、次の6点を確認しましょう。

❶訪問する会社のホームページを確認

スタッフの顔が出ているか？　お客様の声が載っているか？　雰囲気はよさそうか？「中古住宅＋リノベーション」に詳しそうか？　などなどを確認しましょう。

❷自分（自分の世帯）が払える毎月の金額を決めておく

質問やアンケートに記入する額は少し厳しめにしておきましょう。

❸自己資金をいくらにするか決めておく

これは、不動産購入にかけられる額で、貯金の額ではありません。手持ち資金がなければ、はっきり「0円」と伝えましょう。購入してからもお金がかかるものなので、できるだけローンに組み込んでもらいましょう。

❹源泉徴収票（年末に会社からもらうもの）のコピー

一番直近のものを準備します。自営業者の方は、確定申告の写しを3期分用意しておくとよいです。もちろん、業者が気に入らなければ提出する必要はありません。

❺免許証と健康保険証

事前審査に必要です。不動産会社でコピーする場合もあります。

❻物件等の条件の中で、優先順位をある程度決めておく

例えば、立地エリア、駅からの距離、学校区、近隣施設、駐車場の有無、土地の大きさ、部屋数など、たくさんある希望の中でこだわりたい点をいくつか整理しておきましょう。

❹と❺は、後からの提出でも大丈夫です。自分の税込年収を確認することが予算を立てる上で重要です。また、健康保険証はローンを組む際、保険の加入期間を確認されるので、万が一加入していないとか、加入期間が1年経っていない場合などは注意が必要です。

準備ができたら、興味を持った不動産会社を訪問してみましょう。

繰り返しますが、予算の試算もそこそこに物件を見に行く時は気をつけましょう。「どの程度の物件があるか」「どんな案内の仕方をしてくれるのか」ということを確かめる程度であれば、参考に見に行くのもＯＫです。しかし、いきなり購入の決断を迫られることもありますので、気をつけておきましょう。

まずは、予算の相談と買い方について相談してみましょう。

「信頼できる担当者か」「信頼できる会社か」、このポイントのほうが物件情報より大切なのです。

3 営業マンに聞く「魔法の質問シート」で見分ける！

ここまで、賢く「中古住宅＋リノベーション」を購入する情報をたくさん書いてきました。繰り返しますが、買う側が知識を付けて、勉強してから、または勉強しながら住宅購入することが大切です。

「そんなの面倒くさい！」と思われたかもしれません。「お金を出してプロに頼むのに、なんで自分で知識を付けないといけないのか？」という意見もごもっともだと思います。

そうなんです。本来なら、どこの不動産会社に行っても、どんな営業マンが担当になっても、購入されるお客様のエージェント（代理人）として、しっかりと賢く買うアドバイスをしながら購入を成功に導くのが理想です。

しかし、現実には何も知らないお客様に付け込んで、不動産業者の都合で誘導しているケースがとても多いのです。法整備が追い付いていないのも問題ですし、業界に罰則が少ないというのも理由のひとつでしょう。

インターネットが普及し、情報の多くをだれでもが見られるようになった今でも、不動産業界のコアな情報については、一般の人が手に入れることはなかなか困難で、プロと一般の人の情報に格差が大きいことが要因です。

これは、私が本書を書く理由のひとつでもあります。たまたま行った不動産会社の営業マンが当たりなら住宅購入が成功し、言い方は悪いですが、はずれなら失敗する。そんなことでいいのでしょうか？

安い買い物なら、「失敗しちゃった」で済むかもしれませんし、買い直すこともできるでしょう。しかし、不動産は人生を左右する一生のうちでも最大の買い物です。失敗すれば、自分だけではなく家族に対しても大きなマイナスを与えてしまう可能性のあるものなのです。

私は、たくさんの失敗例を目の当たりにしてきました。**「いい業者、営業マン、パートナー」を見つけることが成功への近道であることは間違いありません。**

ではどうすればそのパートナーは見つかるのでしょうか。

その答えは、買う側であるお客様が見分ける力を持つことです。

ぜひ、次ページ図⑰の「不動産営業マンに聞く『魔法の質問シート』」を使って質問してみてください。

「答えられるか」ではなく、「誠実に対応してくれそうか」がカギになります。シートにも書きましたが、建築知識のない不動産担当者にとってはまだ、「中古住宅＋リノベーション」のワンストップの購入の仕方は新しく、得意ではない分野の質問であることのほうが多いでしょう。

ですので、一気に質問攻めにせず、また、「細かくてうるさいお客様」と印象付けられないために、人間関係を築きながら、聞いていくのが得策です。

図⑱は質問の解説です。担当者の回答から判断するための参考にしてください。

図⑰　～賢いワンストップ購入ができるか判断するための～

不動産営業マンに聞く「魔法の質問シート」

チェック	NO	質問事項
□	1	中古住宅の仲介は得意ですか？　実績はありますか？
□	2	リフォームする場合、リフォーム費用を住宅ローンに組み込めますか？
□	3	リフォームも同じ金利でローンが組めますか？
□	4	購入前に御社でリフォームの打ち合わせはできますか？ リフォームのプロを紹介していただけますか？ リフォームのプロをこちらで連れて来てもいいですか？
□	5	リフォームの打ち合わせをするのはだれですか？ (「できる」または「紹介できる」という回答の場合に聞きましょう)
□	6	建物のインスペクションはできますか？ インスペクションできる人を紹介してもらえますか？ 建築士の知り合いを連れて来てもいいですか？
□	7	物件によって、瑕疵保険に入ることはできますか? (特に築年数がローン控除の対象より古い場合は必要です)
□	8	購入後のアフターサービスやメンテナンスはありますか？

※上記質問は不動産会社にとってはまだあまり得意ではない部類の質問であることを知っておきましょう。なので、最初に一気に質問を浴びせてしまうと「嫌なうるさい客」と思われてしまうことがあるかもしれません。注意しましょう。

※ワンストップで対応してくれる会社がベストですが、近くにない場合は、担当者や会社の雰囲気がよくて上記質問に答えられなくても誠意のある対応をしてくれるパートナーを選びましょう。

図⑱ **質問の解説**

1	あくまで確認です。新築しか販売していない場合もあるので、中古住宅の仲介を得意とする会社がベストです。しかし、両方扱っている会社がほとんどなので、比率や実績を確認しておきましょう。
2	最近は組み込めることが増えてきているので、もし、できないという回答ならやめておきましょう。買った後からリフォームローンを組むと失敗します。
3	同じくこれができないようならやめておきましょう。
4	これが意外とハードルが高いです。社内でできる、または提携先でできるという回答の場合は問題ありません。しかし、できる会社のほうが少ないのが現実です。でもここが大事です。紹介してくれるのが営業マン個人で、紹介された会社も個人事業者で地域でもあまり名前を聞かない場合は、むしろ自分で地域密着で評判のいいリフォーム会社を何社か当たって見つけておきましょう。
5	この質問で4の質問に適当に答えた場合、答えに詰まったりします。はっきりと担当がいる場合は安心できますね。
6	これも業者にとってはきつい質問です。まだインスペクションに対応できていない業者のほうが多いと思ってください。できなくても協力する体制や気持ちがあるかを確認する質問になります。無理な場合はリフォームを頼む会社で聞き、連れて行きましょう。
7	これも業者にとっては面倒くさい質問です。中古住宅の瑕疵保険について詳しく知っていれば頼もしいですが、知らなくても調べてくれるなど、誠意ある対応の担当者を探しましょう。
8	これは不動産仲介専門の会社ではできないところがほとんどです。「アフターサービスを望むのなら新築にしてはどうですか？」と返されるかもしれません。しかし、できる会社はあります。または、しっかりとしたリフォーム会社を間に入れて購入すれば可能です。

自分の人生を、また家族の人生を充実したものにするために、遠まわりかもしれませんが、しっかり知識を身につけ、物件探し・家づくりのパートナーを見つけてください。

4 意外と知らない!? あなたの契約相手はだれ?

不動産の担当者と会話をする中で、業界のしくみを知っておくことは重要です。中古住宅の購入のしくみは意外と知られていないケースがあります。

前述もしましたが、「あなたの契約相手はだれ?」と聞かれた時に、「あれっ? 不動産会社から買うんじゃないの?」と答える方も多いからです。

中古物件の場合のほとんどは、**個人売主との直接契約**です。不動産会社は「仲介」という形で取引に参加します。売主も素人という場合がほとんどです。

ですから、購入後建物に不備があったと言われても、売主さんも素人ですので、困ります。「瑕疵担保責任がない」という法律通り、買い手が泣くしかないのです。

こういったことから、購入前のインスペクションが必要な理由も生まれています。

もう一度、138ページの図⑮をご覧ください。

物件を売りたい売主Zは売り手側業者Aと相談し、売値を決めて市場に出します。そして物件情報をレインズに登録します。この情報は、不動産会社すべてが見られるようになっています。

買い手側業者（B・C・D社など）が、自社で売れそうな物件を選び、自分の会社のチラシやホームページで告知します。そうしてエンドユーザー（購入希望者）が、その広告を見て、広告を載せた業者にアクセスするというのが一般的な構図です。

これに当てはまらないのが次の2つの場合です。

❶売主が不動産業者の場合

この場合は、お客様と不動産業者の契約となります。新築はこの形がほとんどです。中古住宅でも、業者が買い取った物件などの場合は業者が売主になります。

この場合のメリットとして、業者が2年間の瑕疵担保責任を負います。つまり、個人間売買では付かない雨漏りや構造の不備の保証が2年間付くということで安心です。

❷仲介において、売主側の業者が買主を見つけることができる

つまり、売主と買主の両方を一社で請け負うという形です（両手仲介）。そして、業者はそれを望みます。なぜかというと、手数料が売り手と買い手から入るので、通常の倍の儲けになるからです。

儲かるし、どちらも自社が担当していれば話がまとまるのが早くなることが多いです。業者からすると、好条件なパターンです。しかし、買う側にとっては問題もあります。儲けを重視し、両手仲介をしたいがあまり、物件情報を広く出さないということが起こるのです。または、やたらとその物件をすすめてくるということが起こります。ちょうどほしい物件ならいいのですが、希望と違うのに押し付けてくる場合もあるので、注意しましょう。

5 リノベ済み物件はお得なのか？裏事情を知って賢く狙う

物件広告を見ていると、「リノベーション済み物件」や「リフォーム済み物件」が最近増えてきていると感じます。

特に東京を中心とした都会の物件のカテゴリー分けとして、「新築物件」「リフォーム済み物件」「中古物件」と、新しく**「リノベーション済み物件」というカテゴリーができ、人気**になってきているのです。

文字通り、中古物件をリノベーションしたり、リフォームしてから売り出している物件のことですが、私はさらに2つに分類しています。

❶リノベーション済み物件

リノベ専門業者、または建築やデザインのプロが入って、全体のプロデュースも兼ねたリフォーム工事まで施している物件。買主側の立場でプランニングしてあり、アフターサービスも付いているような物件。その分、相対的にリノベ費用は高額になり、物件価格としても少し高額になりやすい。デザインや機能性に優れ、安心して住める。

❷一部リフォーム済み物件

昔ながらの不動産会社が買取再販するモデルで、**目に付く部分（特に水まわりや内装クロスなどが中心）のみリフォームしている物件。**どちらかといえば売主側の目線で売るために、印象をよくすることを目的としたリフォームが多い。その分リフォーム費用は可能な限り抑えてプランニングしてあるので、物件価格としては比較的お買い得な価格になっている物件が多い。設備品や内装等のグレードは安価である場合がほとんど。またデザインや施工した業者は表に出さないケースが多く、アフターサービスは不動産業者次第になる。

私は、この2つのモデルケース共に、どちらがいい、悪いという感情は持っていません。なぜなら、買主の「意向」や「求めているもの」は人によって違うからです。

ただ、情報が少なすぎて違いなどがわかりにくいので、このパターンがあることを知っておくだけでも自分のイメージに合わせて賢く選ぶことができます。

そして、この2つのケースとはまた違う

●中古物件を古いままで買って買主の好きなリフォームをする

というケースがあります。このパターンを私は一番推奨しています。コスト的にも安くつきますし、何より一つひとつの設備を買主の好みで選べるからです。

その反面、難易度の高い買い方とも言えます。

古いままの家を見て、新しくリフォームしたイメージが持てるか？　リフォームが希望通り、希望予算でできるか？　これらのことをクリアしていかなければならないからです。

また、中には「**インテリアなどを選ぶのが好きではない**」人や「**面倒くさい**」「**センスがないからわからない**」など、「**最初からきれいになっているものを買って、そのまま住**

むほうが楽でいい」という価値観の人も少なくありません。

どれも正解です。

ですから、すでにきれいになっている物件がいい人は、イメージが自分に合うリノベーション済み物件やリフォーム済み物件を探すのがいいでしょう。

少し前までは、不動産業者が競売で落としたものや買い取った物件を表面だけリフォームして再販するあまり質がいいとは言えない物件が、リフォーム済み物件の大半を占めていました。

しかし、最近では質のいいリフォームをしたり、保証を付けたりして物件に価値を持たせ、ブランディングをしている会社も増えてきています。価値観が合う人には満足度は高いかもしれません。

自分の価値観にはどのケースが合うのかも考えて、出会った物件を判断するひとつの基準にしてみてください。

6 戸建て&マンションどっちがいい？ どう選ぶ？

一戸建住宅か、マンションか、どちらを購入するか悩まれている人もいるでしょう。「どちらがいいですか？」と聞かれる場合も多いのですが、「**求めている価値で選ぶ**」の**が正解です**。

ここで、中古住宅を購入することを前提に、一般的にはあまり知られていない点も含めて、戸建てとマンションのメリットとデメリットを確認しておきましょう。

【戸建住宅】

- 修繕やリフォームなどが自分のペースでできる
- 駐車場を敷地内に確保したり、庭を確保したりできる場合がある

●建て替えや設計に自由度がある
●駅からは離れがち

【マンション】
●平面で住めるので、管理も楽で防犯性や機密性もいい
●管理費と修繕積立金がずっとかかる
●ペットが禁止の場合が多い
●駐車場が敷地内に足りなかったり、借りられない場合も多い
●耐震工事が困難
●駅から近い生活に便利な立地が多い

購入時に一番大きな差が出るのは、マンションにかかる管理費や修繕積立金、駐車場料金です。例えば月々の支払いを9万円にした場合（35年ローン・金利1％）で見てみましょう。

A：駐車場付き一戸建て。物件総額（物件金額＋リフォーム代＋諸経費）は、約3180万円

B：マンション（駐車場利用）。月々の支払い9万円から毎月の経費（管理費8000円＋修繕積立金1万2000円＋駐車場1万円）を引くと、ローン返済に使えるのは6万円。物件総額（物件金額＋リフォーム代＋諸経費）は、約2120万円

同じ月額9万円の支払いでも、物件にかける購入金額は大きく変わります。

これだけを見ると、マンションのほうが損するように見えるかもしれませんが、一戸建住宅も管理費や修繕積立金がいらないわけではありません。定期的に外壁や屋根塗装などのメンテナンスが必要になるので、自分で貯蓄していく必要があります。

よく言えば、費用をかけるタイミングを自分で決められるということにもなります。

マンションには、駅から近く、便利な立地の物件も多いので、生活スタイルや車の利用度合い、家族形態や年齢などによってはマンションのほうが合う方もたくさんいらっしゃ

います。自分の優先順位に合ったほうを選ぶのが結果的に正解ということになりますね。

最後にひとつ知っておいたほうがいい現実的な話をすると、旧耐震の建築基準法で建築された物件（マンションならおおむね１９８３年以前完成の物件）には少し注意が必要です。１９８１年5月以前の建物は、現在の基準で耐震診断をすると、ほぼ「倒壊の恐れあり」という位置付けになります。

しかも、マンションの場合、耐震工事をするのは現実的に不可能です。大きな地震が来た場合に倒壊の恐れがあったり、今はまだあまり注目されていませんが、危険だと騒がれ出した場合には資産的価値が損なわれる可能性があります。

見た目のきれいさも重要ですが、安心して住めることも重要です。マンションの場合は、できれば新耐震基準の建物をおすすめします。

7 買ってはいけない中古戸建物件を見分けるコツ

「買ってはいけない物件があるの？」と、怖くなるかもしれませんが、もう少し丁寧に言うと、**「その物件の条件や事実を知らずに、または理解せずに買ってはいけない」**という意味になります。

「そんなことは不動産会社が教えてくれるんじゃない？」と思って当然なのですが、現実には重要事項説明書に書いてはあるけれど、説明はされず、理解せずに買っている人が多いのです。

それは、住むには不都合があまりなかったりして、売却時や建て替え時などにならないと関係してこない事柄が多いからかもしれません。でも、「賢く買う」ためには知っておきましょう。

【戸建住宅のように見えて連棟（つながっている）の物件】

都心部に多いですが、隣の物件と連続で建物がつながっている物件があります。一見、戸建住宅のようなので、住むには不都合がない場合も多いですが、**屋根や柱、給排水の配管などがつながっていたり、配管が他の住戸の敷地を通っていたりと修繕する時にトラブルになりやすい物件です。古くなって建て替えや売却する時はとても困難をもたらします。**

金融機関が「ローン不可」にするところも多く、資産価値としても大きく下がりますので注意が必要です。

【違法建築の物件】

都心の物件になればなるほど、土地が高くなり、占有面積が狭くなっていきます。その**限られた土地に建物をできるだけ大きく建てたいと思うと、建築基準法ギリギリの大きさで建てるケースが増えます。**

さらに、そこに増築などをした物件は、建ぺい率（敷地面積に対する建築面積の割合）や容積率（敷地面積に対する建物の延べ床面積の割合）をオーバーした違法建築の物件と

なります。意外にもそれが市場に多く出回っています。

違法建築だから絶対にダメかと言われれば、そうではありませんが、やはり理解して購入しておかなければなりません。

デメリットとしては「住宅ローンが組みにくい」など資産としての価値が下がる場合があるのと、「建て替え時には同じ大きさの建物を建てることができない」「行政指導が入る場合がある」ということがあります。

違法建築かどうかは登記簿謄本を見たり、役所での調査が必要になるので、自分ではなかなかわかりにくいと思いますが、不動産会社に聞けば、教えてくれる業者もいますし、知らない場合は調査してくれることもあります。

【道路付の悪い物件】

同じエリアでも、土地に面する「道路」によってその土地の価値は大きく変わります。

道路にも種類がありますが、簡単に言うと、「**幅員4メートル以上の公道、または私道でも位置指定道路に2メートル以上接していること**」が目安となります。道路幅が4メートルない場合や私道の場合はさらにしっかり調べましょう。

土地が広いのに異常に安い物件などの場合、私道の面積が多く含まれている場合も多々あります。また、袋地の奥の土地や狭い道路の場合は、ご近所とのトラブルが起こりやすい傾向があります。ご近所とトラブルになると、毎日の生活にストレスを持つことになるので、必ず面している道路についてはしっかり確認しましょう。

ただ、広い道路に面しているほうがいいかと言うとそうではなく、交通量が多すぎる道路の場合は騒音や子どもが飛び出して危険ということもあるので、一概には言えません。幅員4メートル以上ある公道であればまずOK。4メートル未満の道路の場合や私道の場合は確認が必要というレベルで、条件を調査してもらって確認して納得できればOKとなります。

あまりに幅員の狭い道路や2メートル以上道路に接していない敷地または奥まって他人の土地を通らないと自分の敷地に行けないような物件はNGと思ったほうがいいでしょう。

【ハウスメーカーのプレハブ住宅や2×4工法の住宅】

誤解を招きやすいのですが、これらの住宅を買ってはいけないということではなくて、「**間取り変更ができないので、希望の間取りと違う場合は買ってはダメ**」ということになります。これらの工法は地震にも強く優れた工法ですが、「柱や梁がなく、壁が構造耐力」になっています。なので、木造の在来工法でできるような「壁や柱の位置を変える」ことはできません。新築時はその家族に合わせて間取りを設計するので問題ありませんが、中古を買ってリフォームする場合は注意が必要です。

実際に買ってからそれを知らずに、「広いリビングにしようと思っていたのにできない」「対面キッチンに憧れていたのにできない」というような場面に私は何度も当たりました。**「知らずに買ってしまっている」ことが問題**なので、設計の構造を知り、つくりたい家の間取りができるかどうかを調べれば問題はありません。

【地盤や構造に問題のある物件】

当たり前の話なのですが、地盤や構造を確認して購入できている人は意外と少ないものです。

なぜかと言うと、**基本的に不動産会社は確認しない**からです。しかし、当然のごとく、建物が大きくゆがんでいたり、基礎や構造体に不備のある物件を買ってしまうと大失敗することがあります。

それを防ぐために、必ずインスペクションをしたり、建築のわかる人に物件を見てもらってから購入しましょう。

合わせて、**土砂災害や津波などの災害に関して、ハザードマップ（国土交通省のホームページでも確認できます）を見て、その土地の特性を知っておきましょう。**

8 買ってはいけない中古マンション物件を見分けるコツ

前項に加えて、中古マンションの物件で「買ってはいけない」情報を知っておきましょう。

【旧耐震基準で建っているマンション】

前述したように、完成年月日がおおむね1983年以前の物件は、建築確認が旧耐震基準の日付になっていないかを確認する必要があります。**建築確認から完成まではマンショ**

ンの場合、1年から2年近くかかる場合があるからです。マンションの耐震補強工事は困難です。

なので、専有部分（内装など）はリフォームで新築のようにできますが、大地震が来た時の安全性や共用部分の配管などが問題になる場合もあります。

旧耐震物件が絶対にダメということはありませんし、立地もよく、価格的にも買いやすい物件も多いので、メリットもありますが、状況を理解してから購入の判断をしましょう。

【間取り表記にSルームがある物件】

これも絶対にNGということではありませんが、知っておいてほしい情報です。

マンションの間取り図を見て、3部屋とLDKがあるので、「3LDK」だと思ったら、表記は「2LDK＋S」という物件があります。実際に部屋に入ってみても3LDKと何も変わらない感じがします。なぜ表記が違うのかというと、**採光や通風の関係で法律上「部屋」と表記できず、「収納」または「サービスルーム（S）」という扱いになっているのです。**

その部屋の前にエレベーターや非常階段があって影になっているケースが多いです。生活するにはほとんど影響ありませんが、資産価値としてはやはりしっかり「部屋」という表記ができるほうがいいので、同条件の別のマンションがあれば、そちらをおすすめします。

または「S」表示がある場合は、その理由を聞き、**値段交渉の材料として有利に購入するのもいいかもしれません。**

【管理が悪いマンション物件】

「マンションは管理状態を見て買え」と言われるくらい、管理は大事な部分を占めます。それは、そのまま資産的価値に直結するからでもあります。

共用部分が汚かったり、乱れていたりするとマンション全体のイメージが悪くなります。定期的にメンテナンスしている見た目のきれいなマンションを選びましょう。

ほかに、管理状態がわかるチェックポイントとして、**❶常勤の管理人がいるか、❷集合ポストまわりにチラシが散乱していないか、❸エレベーターに監視モニターが付いているか、❹エントランスまわりの清掃や植え込みの植栽がきれいに整えられているか、❺駐輪場やバイク置き場などが整えられているか、❻修繕計画通りに外壁や共用部がリフォーム**

されているか、❼管理組合がしっかり機能しているか、これらがチェックポイントとなります。

自分で見て判断できる部分と業者でないとわからない部分があるので、不動産会社の担当者に聞いてみましょう。

【戸数の少なすぎるマンション】

マンションで戸数が少なすぎる物件（私の個人的感覚で言えば、20戸以下）も少し注意が必要です。理由は管理について、次の2点の懸念があるからです。

❶管理費や修繕積立金が高額になりすぎる

❷予算的に常駐管理が難しく、管理や清掃が行き届きにくくなる

マンションの修繕（外壁の塗り替えやエレベーターの修繕など）には、定期的に大きな費用がかかります。また、常駐で管理人を雇ったりすれば費用がかかるので、戸数が少ないマンションでは管理費や修繕積立金が高額になりやすい傾向があります。

管理費や修繕積立金はローンが終わってもずっとかかる費用なので、ばかになりません。高額にもかかわらず、管理体制も充実しないとなると悔しいですよね。

せっかくマンションを購入するなら、**スケールメリットを活かして、戸建てにはない便利さやコミュニティ、共有スペースなどが充実し、満足感を得られる**物件を選ぶべきではないでしょうか。

9 家を買うのではなく、「住宅ローンを買う」と考える

現金一括で家を購入する人はほぼいません。ほとんどの人は住宅ローンを組みます。この住宅ローンの組み方によって返済の総額は大きく変わります。住宅ローンは高額ですし、期間も長いので、次の事項が大きく影響します。

- **実質金利はいくらか？**
- **固定金利か、変動金利か、ミックスか？**
- **返済期間を何年にするか？**
- **団体信用生命保険の種類は？**

●リフォーム代金や自己資金分も借りられるか？

1章で説明した通り、今は空前の超低金利時代です。

平成初期の頃は、借りた金額の倍近い返済額でした。なので、「頭金を貯めてから買う」が主流でしたが、超低金利時代の今は、**「頭金を貯めるより、早く買う」ほうが得**なのです。

住宅ローンは基本的に、どこの金融機関でも組めますし、借りる本人が金融機関を選ぶことができます。不動産業者がすすめてきたところでもOKですし、それ以外を指定しても対応してくれるはずです。

リフォームローンに強いところ、または団体信用生命保険に3大疾病特約が付いているところなど、金融機関によって条件が変わるので、調べてみましょう。

また、同じ3000万円の借り入れでも、2000万円は変動金利で、1000万円は固定金利にするなど、金利をミックスして借り入れできるところもあるので、不動産会社と相談して決めていきましょう。

借り入れ年数に関しては、金利の安い今だからこそ組める**最長年数（35年など）で組んでおいて、余裕があれば繰上げ返済（途中で少しまとめて返済する方法）をしていき、年数を短くするか、返済額を下げていくことをおすすめします。**

こうすることで、無理に最初から年数を短くして返済額を上げずに、生活に余裕を持たせます。一度ローンを組むと、金融機関は、「返済がしんどいから年数を伸ばしたい」という要望には対応してくれません。逆に、「余裕があるから短くして」という要望には対応してくれますので、この選択ができるようにしておくのが得策です。

6章

物件の購入を判断するための絶対知っておきたいルール

決断する時の
不安を少なくする
チェック項目

1 物件を探し出すと麻痺する感覚。「家を買うこと」が目的になっていませんか？

ここまで、購入するために知っておいてほしいことを書いてきました。

読者の中には、すでに物件を見学に行った方もいるかもしれません。物件を探し出すと、金額を上げれば上げるほど、やはり条件的にいい物件が出てきます。

当たり前なのですが、不動産には相場がしっかりあり、相場より高い物件は売れ残り、相場より割安な物件はすぐに売れていきます。

そこで陥りやすいのが、金額に麻痺して予算を上げていってしまうという行為です。

「やっぱりこれぐらい出さないといい家がないよねー」

「月8万円の返済に抑える予定だったけど、10万円ぐらいなら上げても大丈夫かな？」

「タバコを止めて、飲みに行く回数を減らしたら大丈夫でしょ」

などなど、**いい物件を買いたい気持ちが高まって、「返済はなんとかなる」という気持ちが高まっていくのです。**もともと余裕のある資金計画で、年収に余裕があれば多少は大丈夫ですが、安易に予算を上げるのは要注意です。

物件を探しはじめる際、もう一度資金計画を見直しましょう。家を購入してからもかかる費用があります。

- 忘れた頃に通知が来る不動産取得税
- 毎年かかる固定資産税
- 住宅のメンテナンス費用
- 変動金利の場合は、金利の上昇
- 子どもの習い事や塾などの費用
- 家族旅行や車の購入・車検費用

ほかにも、お金がかかることはいくらでも出てきます。追加リフォームをしたくなったり、カーテンやエアコン、照明、家具などを新調することもあるでしょう。

初めての住宅購入で大事なことは、「完璧な希望に近い家を買うこと」ではありません。もっと言うなら、「幸せなライフスタイルや家族の交流を犠牲にしてまで買うこと」ではありません。

大事なことは、「幸せなライフスタイルを実現できる家であり、家族の楽しい時間を共有する場所」の購入です。

もし、金額に麻痺してきたと感じたら、本項を見直しましょう。

大切なことなので、もう一度言います。

「大きい家、新しい家がいいとは限りません。今のあなたと家族のライフスタイルに合った家を購入し、個性を活かして、家づくりを楽しみましょう！」

2 ハザードマップで地域の情報を確認しておこう

前章でも少し触れましたが、国土交通省が公開している「ハザードマップ」というものがあります。そのポータルサイトに行くと、各市町村の地域のハザードマップが閲覧できるようになっています。

購入予定の地域を見て、「ハザードに引っかかっているから、ダメだ」ということではなく、どういう災害の可能性があるかを前もって知っておくことが大切ということです。

もちろん、津波や土砂災害などが起こる可能性が高い場所の場合は、購入を考え直したり、対策が必要になる場合もあります。その理由は2つです。1つ目は、資産価値がなくなる可能性があるからです。2つ目は、何よりも命の危険があると安心して暮らせないからです。

不動産会社との契約前の重要事項説明の場で説明はしてくれますが、その場で聞いて心配になっても、契約を伸ばすことは難しいので、事前に調べておいたほうが安心です。洪水、土砂災害、津波、川の氾濫などの情報や避難場所の情報なども載っていますので、一度は自分の目で確認しておきましょう。

3 生き残るエリア、捨てられるエリア。人口減少の未来を考えて家を買う

物件のよし悪しやハザードマップも資産価値に影響しますが、長いスパンで考えれば、その街や地域が将来どうなっていくのかも予想しておく必要があります。

未来のことなので正確な答えはわかりません。あくまで予想の世界の話になります。

残念ながら日本は人口減少が進んでいます。10年後、20年後、もしくはローンが払い終わる35年後、そのエリアはどうなっているのか？ 資産価値は保てそうなのか？ これら

を考えるのも住宅購入の楽しみとして行なってみましょう。

特に、地方都市ほど深刻な問題になっていくと予想されます。

シンプルに考えると、人口が減り、家が余って空き家が多くなる需給バランスになれば、需要はより人気のある場所、便利な場所に集まっていきます。

日本の行政がどこまでできるかは不明ですが、今後は当然コンパクトな街づくりをせざるを得ないでしょう。

人気のある場所にできるだけ近い、便利である、自然災害が少ない、これらが資産価値を考えた不動産購入の決め手になる要素です。

購入の判断の参考として、「古い、汚い」はリフォームで解決できます。

リフォームで解決できないのは、「広さ、面積」と「立地」です。これは後から変えようがありません。

ですから、不動産物件選びを言い換えると、「立地と広さ選び」と言っていいのかもしれません。

同じ予算であれば、「人気のない場所できれいな新築住宅」より、「少し古くても人気エリアで、少しでも大きな物件」と捉えればわかりやすいと思います。

誤解のないように補足すると、同エリアで、広さも変わらず、リフォーム後の合計価格が新築住宅と変わらなければ、新築住宅もおすすめします。

しかし、新築という価値は資産的には一瞬で消滅します。住み出した瞬間（実際には登記した瞬間）に、その物件の扱いは中古住宅に変わるからです。2割～3割、その瞬間に資産価値が落ちるのが日本の現実です。

一方、そのエリアの人気がなくても、ほかの価値がある場合は別です。

例えば、近所に両親が住んでいるとか、勤務先があって便利、または趣味で行く場所がそのエリアであるというのであれば、充実したライフスタイルになります。他人にとって価値がなくても、自分にとってはとても価値のある立地になる場合もあります。

資産的に賢く買うのが目的の場合には、需要のある立地がベストであることは間違いないでしょう。

4 買えない人と買える人。最終判断はあなたしかできない

不動産業をしていると、**「ずっと家を探している回遊客」**に出会います。

地域の不動産業者をたくさん回っていて、物件を探してたくさんの物件を見に行っているものの、購入できないお客様です。

同業者の中でも、「あー、○○さんね。この間うちにも来たよ」などと、有名になっていたりする場合もあります。

回遊客になってしまうと、業者も時間の無駄と感じてしまい、本気で対応しなくなったりするので得策とは言えません。

回遊客になってしまう理由は大きく2つあります。

ひとつは、**「購入する準備ができていないのに、物件ばかり見に行っている」**こと。も

うひとつは、「**決断できなくなっている。または、決断ができない**」からです。

前者はどちらかというと、不動産業者の問題でもあります。**購入の準備をさせずに物件ばかりを見せているケースが多く、いい物件が出ても、「本当に自分の予算に合っているのか？」「この物件を買って失敗しないのか？」という疑問を解決する情報を提供していないから**です。よって、お客様も決断できない状態になっているパターンが多いのです。

このパターンに陥った場合は、将来を見越してしっかりと資金計画を打ち合わせしたり、購入のための勉強をしてもらうと将来の不安がなくなり、決断しやすくなります。

また地域のすべての物件を見せたり、過去の事例をしっかり知ってもらうことで、お客様が相場感を持ちはじめるので、価格が妥当かという不安も和らぎます。

勉強して不安が少なくなっている状態で、物件案内をすることで、素早くいい物件を購入決断して確保することができます。

もうひとつ、後者の場合は、お客様側の理由であることがほとんどです。

●まわりに相談すると、「止めておいたら」と言われて、止めてしまう

●現実にはあり得ない「夢物件」をずっと追いかけている

●希望のライフスタイルが定まっていない。または夫婦間（親子間）で話し合いができていない

このようなケースの場合です。

「そりゃ高い買い物だから、まわりに相談するでしょ」という声が聞こえてきそうです。もちろん相談することは悪いことではありません。ですが、条件が付きます。

相談した方が、あなたと同じ物件を見て、同じ情報を見ながら一緒に探して来た場合です。または、あなた以上の情報を持っていて、あなたの年収や自己資金、将来の資金計画までをすべて相談している場合です。

一方、こんなケースは問題です。

物件も見ていないし、周辺物件も成約事例も具体的に知らないけれど、

「そんなん高い！　もっといい物件あるよ。止めておきな」

なんていうケースです。実際に結構多いパターンです。

自分は気に入っていて、いざ購入の決断をしようとした時に、こう言われて、「やっぱりもうちょっと探そう……」となってしまうケースです。

資金をたくさん援助してくれる場合は、その人の意見に耳を傾けることは必要ですが、それ以外は、基本的に相談された人は、物件も見ていないので、「それは買いなさい」という人はいないと考えておいたほうがいいと思います。

また、「学校区が合っている」「駅から徒歩○分」「絶対にこのエリアしか嫌」という希望に対し、予算的に折り合わない物件を探しているパターンです。まさに、「夢物件探し」となってしまっています。

過去の成約事例を5年分ぐらい見せてもらい、その希望に当てはまる物件がなければ（または、理由ありの1例ぐらいしかない場合）、今から5年待っても出てこない「夢物件」だと、現実を知ることも大事です。

中古物件だとお得物件というのがありますが、土地や新築の場合は必ず「売れる相場の価格」があって、格安物件はありません。

相場より高い物件は売れませんし、相場の価格になれば売れます。逆に相場より安い格安物件にはそれなりの理由が必ずあります。


予算に合う希望物件がない場合は、次の2点から選択するしかありません。

❶希望にこだわるならば、予算を上げる（例えば親に援助をお願いするなど）
❷予算を守って、物件の条件を緩和する（例えば駅をひとつ動かす、駅から少し離れるなど）

そう、**不動産は「ある物件から選ぶ」が基本**です。

過去に、予算と希望が合っている物件例が多くある場合は、それに的を絞って準備して待ち、出たらすぐに押さえるという方法もありです。

決めるのはあなたです！

だからこそ本を買って勉強しているのでしょう。無理のないしっかりした資金計画ができていれば、いい物件で悩んだ時に決断しても大丈夫です。

5 その家は売れますか？ 貸せますか？ 住むだけでなく資産として物件を見る

もうひとつ大事にしてほしい感覚として、「資産として売れる家、貸せる家」という目線です。ローンを組んで家を買うということを、負債を手に入れることではなく、「ステップアップできる財産に投資する」という感覚として意識してほしいのです。

そうです。予算内で賢く買うことに一番適しているのが「中古住宅＋リノベーション」という買い方の醍醐味でもあります。

どんなにきれいで素晴らしい家でも、自分の予算を超える家や、立地や道路付に難のある家だと、売ろうとしてもローンが残ったり、借り手が見つからないなど、動けなくなるかもしれません。

一生確実に住むのならいいのですが、将来に渡って状況が変わらないと言い切れるでしょうか？

購入した物件が、いつでも売りやすい物件、または賃貸に出しても入居者が決まりそうな物件であれば、家族の人数が変わったり、仕事や学校の都合で住み替えたい場合でも気楽に判断しやすいですよね。

繰り返しますが、資産として動かせる家ならば重く考える必要はありません。「一生に一回の家」と考えれば絶対に失敗できませんが、住み替えができるような家ならば、「また買えばいい」と少し気楽に決断することができます。

そう、希望１００％の家はありません。70％気に入れば、「購入」してよいでしょう。いよいよ決断する時です。

6 物件購入のメインイベント、買付証明書を入れる

いよいよ気に入った物件を現地確認して、222ページ図⑲「購入を決断するための最終確認シート」で整理がついたら、物件の確保に動きましょう。

メインイベントともいうべき決断です。「購入物件買付証明書」または「購入申込書」の作成を不動産営業マンからすすめられるでしょう。

買付証明書を記入して、不動産会社が売主に確認を取ってOKが出れば、約1週間程度で契約になります。

契約が完了するまでは、まだ不安定な状態です。次項で説明しますが、価格交渉などの条件を入れている場合、他の購入希望者にひっくり返ったりすることもあります。

ですから、買付証明書を入れたら、契約日をあまり伸ばさないほうが賢明です。

いい物件（人気物件）ほど買いたい人が集まるので、物件を確保するのが難しくなります。つまり、**スピードが大事**です。

業界の基本として、物件の確保は買付証明書の先着順になります。そして、買主としての資金的根拠を持っておくことも重要です。それは、4章で解説したローンの事前審査に通っていることや自己資金の確認になります。

「不動産は出るかどうかわからないものを待つのではなく、市場にあるものから選ぶ」ことが基本です。もちろん数年後、もっといい場所やもっと安い物件が出るかもしれません。でもそれは縁がなかった物件です。そう、不動産購入は、物件との縁も大きいのです。

あなたが探しているこの時期に、このタイミングで気に入った物件が貴重な物件なのです。

「購入を決断するための最終確認シート」をチェックして、いい縁を逃さず、いい物件をゲットしましょう。

図⑲　買付証明書を書く前にもう一度確認してみよう！

購入を決断するための最終確認シート

	項目	チェック
①	資金計画は完全ですか？ ローンの種類、金利などは理解していますか？	□
②	当初の返済予定額を超えていませんか？ リフォーム費用もローンに入っていますか？	□
③	諸経費の内容・金額を確認しましたか？　理解していますか？	□
④	子どもに将来かかる学費や習い事、 車や旅行などの費用の余裕も見ていますか？	□
⑤	建物の状態、不備などはプロが診断していますか？ （インスペクションの有無・予定の確認）	□
⑥	リフォームや修繕についてプロと打ち合わせ、 見積もり金額や仕様が明確ですか？	□
⑦	カーテンやエアコン、照明などの費用も予定していますか？	□
⑧	引っ越し費用や後から来る不動産取得税なども 予定していますか？	□
⑨	住んでからのアフターケアは安心できますか？ どこがしてくれますか？	□
⑩	瑕疵保険やローン控除の利用の可否などは確認しましたか？	□
⑪	接道状況、違法建築かどうかなどは確認しましたか？	□
⑫	物件の近隣、学校校区、生活施設、 ハザードマップは確認しましたか？	□
⑬	価格交渉できるか確認しましたか？	□
⑭	周辺の成約事例を確認しましたか？　価格は妥当ですか？	□
⑮	売ったり、貸したりしやすい物件ですか？ 資産価値の観点から見ましたか？	□
⑯	不動産会社・担当者は信頼できますか？	□

7 買付証明書を入れるタイミングは、価格交渉の絶好のチャンス！

「この家を買おう！　でも、もう少し安くならないかな……」。物件を決めたら、きっとだれもが一度は思うでしょう。

買付証明書を入れる時に賢く買うコツがあります。このタイミングは絶好の価格交渉のチャンスなのです。

中古物件は売主が価格を決めています。そして、**そのほとんどが業者が売主に出す「査定価格」より高い金額にしています。相場として、査定金額の10％〜20％アップの金額で**しょう。

これは、多少の価格交渉が入ることを想定して販売計画を立てているからです。

例えば、査定金額が1700万円だとすると、当初の売り出し価格は1880万円にするという感じです。

そこで、「1880万円が1800万円に下がったら購入します」という価格を指値して、買付証明書を出すということができます。

中古物件の場合、かなりの確率で価格交渉が成功します。

ただし、これも人気物件と長期で残っている物件で状況は変わります。また、売主の事情によっても変わってきますし、値下げしたばかりでこれ以上は無理という場合もあります。

価格交渉する場合は、**市場に出ている日数を確認しましょう。日数が経っていれば下がる確率は上がります。**

不動産の値引きは50万円や100万円、場合によっては200万円以上も下がる場合もあります。価格が大きいので、安くなるに越したことはありませんよね。

ここで、担当営業マンの力量が発揮されます。「価格交渉に応じる物件か?」または「価格交渉には応じない人気物件か?」、売主や売主側の業者の心を読み取れるかが勝負になるのです。パートナーの担当の営業マンと相談しながら、少しでも安くできるよう頑張ってみましょう。

8 契約書、重要事項説明書で確認しておくポイント

物件が確定して契約日が決まったら、契約時に確認してほしいポイントがあります。

契約日には、「重要事項説明」を契約前に宅地建物取引士が行なうことが法律で義務付けられています。これは、物件に関する重要な情報を説明する大事なものですが、専門用語も多く、その場ですべてを理解するのは難しいかもしれません。

しかし、宅建業法35条で、そこに記載する事項は決められており、業者や売主が簡単に項目をいじれるものではないので、その場では「よく聞いて確認をする」というイメージで臨んで大丈夫です。

重要事項説明書や契約書で注意してほしい点は次の2つです。

❶融資の特約（住宅ローン特約）についての期限日と対象金額

これは、念のためしっかり見ておきましょう。私の経験上でも、契約してから決済までにトラブルになるケースはほぼありませんが、「ローン特約」については時々起こりますので気をつけましょう。

「ローン特約」とは、買主が万が一融資を受けられなかった（銀行等がローンを承認しなかった）場合に備え、契約を白紙に戻すことができる特約です。ローンの承認が下りなかった場合、買主は物件を決済することができなくなるので、買主保護のための条項です。

ただし、白紙解約になると、売主、買主、業者、かかわる人すべてに迷惑がかかることになるので注意が必要です。ローン特約の期日までに必要書類を揃えたり、銀行で本審査を申し込み、承認を受けておく必要があります。たいていは不動産会社の担当者が段取りよく進めてくれて通常はうまくいくのでご安心ください。

しかし、**特約が利く日付がタイトであったり、複数の金融機関を選ぶ方は注意が必要で**

す。

また、特約の期限とは関係ありませんが、買主の自己都合で承認が下りなかった場合（契約後、決済までの間に大きな借金をしたり、会社を辞めたりなど、事前審査時と条件が変わっている場合）は、この特約が無効になる場合があるので、気をつけてください。

契約書では、「ローン特約が有効な日付」を確認し、この日付までに金融機関にローンの本申込をし、承認をもらっておく必要があります。なので、この日程が短すぎると、リフォームの打ち合わせや金融機関の選択、書類の準備などが非常にタイトになります。余裕を持った日付が望ましいでしょう。

もうひとつ、「**ローン特約の対象金額**」についても確認しておきましょう。

特に、リフォームの金額や諸経費などをローンに含めている場合は、物件を上回るローン金額になります。対象金額が物件金額だけでなく、借入予定の金額になっているか確認しましょう。

❷特約に記載してある事項

ここには、売主や業者によって様々な内容が書かれています。他の内容と違って、記載を自由に書き換えられる箇所だということです。

ご参考に、確認しておいたほうがいい項目を列記しておきます。

●境界の明示（明示ポイントがあるかどうか、境界ライン上にある物はどちらの所有か、など）
●隣地と越境しているものはないか（屋根や樋、植栽など）
●残置物（照明・エアコン・表札・家具等）がある場合は、どちらがどこまで責任を持つかなど
●近隣住民との申し合わせ事項、または過去のトラブルはないか、知っていないか
●物件についての告知事項はないか（事故歴など）
●近隣の建築計画・騒音や振動など、生活に大きく影響するものはないか
●マンションの場合は、修繕計画、管理状態、わかる範囲で近隣住戸の情報
●ローン控除の対象額（物件金額＋リフォーム額になっているか）

例えば境界（隣地との土地の境界点やライン）について、きっちりとした明示のない物件が多くあります。境界が、ブロックの内側なのか、中心なのかなど、曖昧にしていると、古くなったり、傷んだ時の工事等でトラブルになるケースが生まれます。

また、越境（境界をすでに超えている工作物や屋根・樋・植栽）などは、現状撤去が難しくても、将来建て替える時などにはお互いが自分の境界内で納めるという確約を取っておくべきでもあります。

残置物については、現状の照明やエアコン、家具など、売主側できっちりと処分した状態で引き渡してくれるかどうかを確認しましょう。

このような状況があるなら、しっかり説明してもらって納得してから契約しましょう。

皆さんは本書で勉強し、業者や担当者を選んでいると思うので、悪い業者や知識のない担当者とここまで話を進めていることはないと思います。なので、変な（不備のある）契約書に出会うことはないと思います。

しかし、重要事項説明と契約は同日で、すでに印刷してあり、不明点があったとしてもその場で書き換えてもらうのはなかなか困難な状況です。慎重を期すならば、契約日までに重要事項説明書と契約書の内容をメールやファックスなどで先にもらって、ゆっくり自分で確認しておくこともできるので、担当者に相談してみましょう。

9 決済（引き渡し）までにしておくこと

おめでとうございます！　契約まで進んだら後はもう少しです。

契約書に記載してある決済日までにしておくことは、ローンの段取りとリフォームの中身の決定です。

ローンについては、事前審査も通っていると思うので、決済が済むまでは大きな買い物やカードでの買い物、またはうっかりした引き落としの未入金ミスなどは気をつけてください。ここまで来て住宅ローンが下りなくなったら大変です。

そして、**ローンの借入額を決定するまでに、早めにリフォームの打ち合わせを重ねましょう。**契約が決まれば、売主も安心して物件を見せてくれるので、遠慮なく再度物件を見に行きましょう。

その際、瑕疵保険の検査やインスペクションがまだ済んでいない場合は、一緒にしましょう。もちろん、リフォームの打ち合わせも物件を見ながら再確認することでイメージもわきやすいですし、細かい部分も決めやすいと思います。

特に、瑕疵保険は引き渡しまでに申込や検査をする必要があるので、気をつけましょう。

そして、リフォームの金額が決定したら、必ず住宅ローンに組み込んでもらいましょう。

残すは、素敵な住まいになるようにしっかりリフォームを楽しむことです。希望に近いリフォームをするコツは、自分の希望イメージを業者に上手に伝えることです。

リフォーム担当者やデザイナーはプロなので、希望を具体的に引き出してくれますが、言葉だけでは限界があります。

おすすめは、イメージ画像をたくさん渡すことです。

「好きな雰囲気はこれ」「こんな感じの色が好き」「こんなキッチンにしたい」「こんなモ

ザイクタイルが好き」などなど、雑誌やカタログ、インターネットの写真でもいいので、メールなどでいっぱい送りましょう。

担当者としても、はっきり希望がわかったほうが提案しやすくなりますし、イメージのずれもなくなります。

予算の制約もありますが、まずは希望を遠慮なく伝えましょう。楽しみながら一緒にプランニングしていけば、あなたの夢をプロが必ず実現してくれるでしょう。

おわりに

最後までお読みいただきまして、ありがとうございます。

私は、「中古住宅＋リノベーション」のワンストップ購入を15年前から提案してきました。

日本の中古住宅流通のしくみとして、「買主のリスクが高く、失敗する人が多すぎる」「リフォームしても資産的に評価されない」という現実があります。

このしくみを改善することが「私の使命であり天職だ」と思い続けてきました。しかし、当時は不動産業界も金融機関も国も世間も、なかなか対応してくれませんでした。

でも、今は違います。まだまだ不十分ですが、国も金融機関も応援してくれる追い風が吹きはじめているのです。

そう、家を購入する方にとってチャンスが到来しているのです。

住まいは人の生活のベースになります。その必要不可欠な住居費が、家庭の支出の中で大きなウエイトを占める人がほとんどでしょう。その住居費を、「ただ消費していく支出にするのか」「資産に変えていくのか」、はたまた「負債としてしまうのか」。住まいの選択によって人生が変わると言っても過言ではないと思っています。

しっかりとした建物であるにもかかわらず、不当に安く評価されている中古物件は、資産的にとてもお買い得でもあるのです。賢い買い方を知り、きちんと評価できる専門家と組むことで、快適で財産になる住まいを賢く手に入れることができます。

中古住宅を賢くお得に購入し、「笑顔の絶えない幸せな家庭が増える」ことに、本書が少しでもお役に立つことができたなら、私にとって最高に幸せです。

皆さんの住宅購入が幸せな人生につながるように、心から願っております。

最後に、出版に際し、多大なご協力をいただいた、長谷部あゆさん、同文舘出版の古市達彦編集長、津川雅代さんに心から感謝いたします。ありがとうございました。

2022年7月

美馬功之介

巻末付録①

【住宅購入　お役立ちサイト】

● 国税庁　路線価図　https://www.rosenka.nta.go.jp/

その土地の路線価がわかります。実勢価格（実際の取引価格）とは違いますが、路線価のいいところは、「この道路に面している土地は1㎡いくら」と、道ごとに細かく指定してあるところです。物件の価値は、同じエリアでも面している道路によって変わるので、参考に周辺との相場観を調べることができます。路線価はざっくり言うと、実際の市場価格の70％〜80％と言われています。

● 国土交通省　地価公示

https://www.land.mlit.go.jp/landPrice/AriaServlet?MOD=2&TYP=0

公示地価は、国土交通省が年に1度公表する土地の価格です。これも実勢価格とは差がありますが、商業地や住宅地などに分かれて価格が出ているので、大きなエリア全体で「ここよりここのほうが高い」など、エリアの人気度合いを読み取ることができます。

● 土地代データ　https://tochidai.info

日本全国の土地代のデータがわかるとても便利なサイトです。都道府県別はもちろん、市町村単位やさらに市内のエリア単位で地価のランキングや変動率が見られますので、活用ください。

● 国土交通省　ハザードマップ　https://disaportal.gsi.go.jp/

本文でも説明しましたが、土砂災害や津波・洪水などの情報がわかります。また「わがまちハザードマップ」という市町村が作成したハザードマップへのリンクもあるので確認しましょう。

巻末付録②

戸建住宅リフォーム概算費用早見表

戸建リフォーム水まわりパック参考価格	金額(税抜)
中古住宅水まわりパック　スタンダードプラン　水まわり設備4点　商品＋設置工事　内装は別途	180万
中古住宅水まわりパック　ハイクラスプラン　水まわり設備4点　商品＋設置工事　内装は別途	240万
中古住宅水まわりパック　プレミアムプラン　水まわり設備4点　商品＋設置工事　内装は別途	330万
戸建住宅の水まわり設備パック工事プランです。設備4点の入れ替え工事（内装工事別途）のパックで、商品代＋工事費の参考価格です。 別途電気工事や追加費用が発生する場合があります。	

プラスオプション工事・個別工事参考価格　商品＋工事代金（税抜価格）						
システムキッチン入れ替え	スタンダード	70万	ハイクラス	95万	プレミアム	140万
システムバス入れ替え	スタンダード	70万	ハイクラス	90万	プレミアム	140万
洗面化粧台入れ替え	スタンダード	15万	ハイクラス	25万	プレミアム	40万
トイレ入れ替え	スタンダード	18万	ハイクラス	25万	プレミアム	40万
外壁塗装パック　足場・高圧洗浄・商品・工事費	シリコン	85万	防水塗装	110万	フッ素	130万
屋根葺き替えパック(20坪)　撤去・下地・所品・工事費	塗装のみ	50万	コロニアル	100万	防災瓦	120万
ガス給湯器	給湯のみ	12万	追炊き付き	25万	暖房付き	40万
電気式給湯器　エコキュート	フルオート	55万	薄型フルオート	60万		
壁紙張り替え	6帖	8万	8帖	12万	10帖	15万
フローリング貼り	6帖	23万	10帖	38万	12帖	45万
カーペット張り替え	6帖	12万	8帖	15万	12帖	20万
畳表替え　中級品JIS1等	6帖	6万	8帖	8万	10帖	14万
床塩ビタイル張り替え	キッチン	11万	洗面	8万	トイレ	8万
外構工事パック：土間コンクリート・車止め・砂利・整地・ポスト・表札 （30坪まで、門扉・フェンスは別途）						110万
和室から洋室へ変更（6畳）工事パック： 畳からフローリングへ変更・壁クロス・戸襖張り替え・解体・処分費含む						60万～ 70万
2部屋→ひろびろLDKプラン（間仕切り撤去＋内装工事）： 解体・大工・フローリング・内装工事等						115万～ 90万

巻末付録③

マンションリフォーム概算費用早見表

マンションリフォームパック参考価格	金額(税抜)
中古マンションパック　スタンダードプラン　水まわり設備4点＋内装工事	310万
中古マンションパック　ハイクラスプラン　水まわり設備4点＋内装工事	390万
中古マンションパック　プレミアムプラン　水まわり設備4点＋内装工事	500万
70㎡のマンションのパック工事プランです。設備4点の入れ替え工事＋内装工事のパックで、商品代＋工事費の参考価格です。 別途電気工事や追加費用が発生する場合があります。	

プラスオプション工事・個別工事参考価格　商品＋工事代金（税抜価格）						
システムキッチン入れ替え	スタンダード	70万	ハイクラス	95万	プレミアム	140万
システムバス入れ替え	スタンダード	70万	ハイクラス	90万	プレミアム	140万
洗面化粧台入れ替え	スタンダード	15万	ハイクラス	25万	プレミアム	40万
トイレ入れ替え	スタンダード	18万	ハイクラス	25万	プレミアム	40万
ガス給湯器	給湯のみ	12万	追炊き付き	25万	暖房付き	40万
壁紙張り替え	6帖	8万	8帖	12万	10帖	15万
フローリング貼り（防音LL45）	6帖	23万	10帖	38万	12帖	45万
カーペット張り替え	6帖	12万	8帖	15万	12帖	20万
畳表替え　中級品JIS1等	6帖	6万	8帖	8万	10帖	14万
床塩ビタイル張り替え	キッチン	11万	洗面	8万	トイレ	8万
和室から洋室へ変更（6畳）工事パック： 畳からフローリングへ変更・壁クロス・戸襖張り替え・解体・処分費含む						60万〜 70万
2部屋→ひろびろLDKプラン（間仕切り撤去＋内装工事）： 解体・大工・フローリング・内装工事等						75万〜 90万

※巻末付録②③共に、著者が経営するリフォーム会社の概算となります。実際は物件の条件により金額が前後しますので、確認してください。

★読者特典★

美馬功之介 LINE 公式アカウントに登録すると、
無料で「中古住宅＋リノベーション」に役立つ特典動画が視聴できたり、
著者に直接質問することができます。

ID：@ 897cybhb

★ YouTube「住まいの大王」チャンネル★

不動産・リノベーションに関するお役立ち情報を発信！

住まいの大王　検索

著者略歴

美馬功之介（みま　こうのすけ）

株式会社 MIMA 代表取締役社長／不動産エージェント、宅地建物取引士、建築士
学生時代に海外を放浪し、アジア、中東、ヨーロッパの国々の住居や建築を肌で感じ影響を受け、不動産業界に就職。大手不動産会社にてトップセールスとして販売に携わるも、バブル崩壊直後の価格の下落、無理なローンで人生が狂い苦しむ人を目の当たりにする。また、業者都合で物件を売っていく不動産販売にも疑問を感じはじめる。同時期、阪神・淡路大震災が起こり、会社の後輩を亡くし、「建物に潰されて、住まいに殺される」悔しさを経験する。

「住まいの失敗で苦しむ人をなくすこと」をめざして 1996 年に不動産会社を退職、実家の住宅設備会社「美馬商店」に入社、建築職人として再出発する。建築士の資格を取得し、2003 年に代表取締役に就任。社名を「株式会社 MIMA」に変更し、下請の設備工事店から元請のリフォーム会社に転換し、「MIMA 建築設計事務所」も開設。

2010 年には不動産事業へ進出。住まいの情報発信基地「MIMA すまいるプラザ」を開店し、念願の「中古住宅＋リノベーションのワンストップ事業」を地域密着で提供。年間 1,600 件・延べ 15,000 件を超える物件を手がける現役社長として、お客様の住宅購入を成功に導くために活動している。アメリカでの中古住宅流通の研究視察にも参加し、日本の住宅流通のしくみを変える使命に燃える。「賢い中古住宅購入」などのセミナーも多数開催。

著書に『「中古住宅＋リノベーション」を賢くお得に買うための住宅ローンとお金の話』（同文舘出版）がある。

株式会社 MIMA　大阪府八尾市中田 3-11　TEL:072-922-3714　FAX:072-992-7541
HP：https://mima-yao.com　Mail：mima@mimasmileplaza.com

r-cove* グループ　HP：https://www.rcove.co.jp　Mail：r-cove@yasue.co.jp

最新版　必ず知っておきたい
「中古住宅＋リノベーション」を賢くお得に買う方法

2022 年 8 月 17 日　初版発行
2025 年 3 月 17 日　3 刷発行

著　者 ―― 美馬功之介

発行者 ―― 中島豊彦

発行所 ―― 同文舘出版株式会社

東京都千代田区神田神保町 1-41　〒 101-0051
電話　営業 03（3294）1801　編集 03（3294）1802
振替 00100-8-42935
https://www.dobunkan.co.jp/

ISBN978-4-495-54117-0
印刷／製本：萩原印刷
Printed in Japan 2022